Guy de Maupassant

Le Horla

Dossier et notes réalisés par
Christine Bénévent

Lecture d'image par
Valérie Lagier

folioplus
classiques

Christine Bénévent, ancienne élève de l'École normale supérieure de Fontenay-Saint-Cloud, est agrégée de lettres modernes. Elle achève actuellement une thèse de doctorat en littérature.

Lorsqu'elle était conservateur au musée des Beaux-Arts de Rennes, **Valérie Lagier** a organisé de nombreuses expositions d'art moderne et contemporain. Parallèlement, elle a créé un service éducatif très innovant et assuré de nombreuses formations d'histoire de l'art pour les enseignants et les étudiants. Elle est l'auteur de plusieurs publications scientifiques et pédagogiques (*Découvrir le Louvre* et *Découvrir le musée d'Orsay en famille*, chez Gallimard). Elle est actuellement conservateur en chef au Musée de Grenoble, chargée des dessins et du service des publics.

Sommaire

Sommaire

Les trois versions
du *Horla*

Lettre d'un fou [1]

Mon cher docteur, je me mets entre vos mains. Faites de moi ce qu'il vous plaira.

Je vais vous dire bien franchement mon étrange état d'esprit, et vous apprécierez s'il ne vaudrait pas mieux qu'on prît soin de moi pendant quelque temps dans une maison de santé plutôt que de me laisser en proie aux hallucinations et aux souffrances qui me harcèlent.

Voici l'histoire, longue et exacte, du mal singulier de mon âme.

Je vivais comme tout le monde, regardant la vie avec les yeux ouverts et aveugles de l'homme, sans m'étonner et sans comprendre. Je vivais comme vivent les bêtes, comme nous vivons tous, accomplissant toutes les fonctions de l'existence, examinant et croyant voir, croyant savoir, croyant connaître ce qui m'entoure, quand, un jour, je me suis aperçu que tout est faux.

---

1. Ce texte parut dans le *Gil Blas* du 17 février 1885, signé « Maufrigneuse », l'un des pseudonymes adoptés par Maupassant. Il ne fut pas recueilli de son vivant.

C'est une phrase de Montesquieu[1] qui a éclairé brusquement ma pensée. La voici : « Un organe de plus ou de moins dans notre machine nous aurait fait une autre intelligence.

« ... Enfin toutes les lois établies sur ce que notre machine est d'une certaine façon seraient différentes si notre machine n'était pas de cette façon. »

J'ai réfléchi à cela pendant des mois, des mois et des mois, et, peu à peu, une étrange clarté est entrée en moi, et cette clarté y a fait la nuit.

En effet, nos organes sont les seuls intermédiaires entre le monde extérieur et nous. C'est-à-dire que l'être intérieur, qui constitue *le moi*, se trouve en contact, au moyen de quelques filets nerveux, avec l'être extérieur qui constitue le monde.

Or, outre que cet être extérieur nous échappe par ses proportions, sa durée, ses propriétés innombrables et impénétrables, ses origines, son avenir ou ses fins, ses formes lointaines et ses manifestations infinies, nos organes ne nous fournissent encore sur la parcelle de lui que nous pouvons connaître que des renseignements aussi incertains que peu nombreux.

Incertains, parce que ce sont uniquement les propriétés de nos organes qui déterminent pour nous les propriétés apparentes de la matière.

Peu nombreux, parce que nos sens n'étant qu'au nombre de cinq, le champ de leurs investigations et la nature de leurs révélations se trouvent fort restreints.

---

1. Phrase de Montesquieu : « ... Si notre machine n'était pas de cette façon » : citation inexacte (« un organe... nous aurait fait une autre éloquence) de l'*Essai sur le goût*, destiné à l'*Encyclopédie*.

Je m'explique. — L'œil nous indique les dimensions, les formes et les couleurs. Il nous trompe sur ces trois points.

Il ne peut nous révéler que les objets et les êtres de dimension moyenne, en proportion avec la taille humaine, ce qui nous a amenés à appliquer le mot grand à certaines choses et le mot petit à certaines autres, uniquement parce que sa faiblesse ne lui permet pas de connaître ce qui est trop vaste ou trop menu pour lui. D'où il résulte qu'il ne sait et ne voit presque rien, que l'univers presque entier lui demeure caché, l'étoile qui habite l'espace et l'animalcule[1] qui habite la goutte d'eau.

S'il avait même cent millions de fois sa puissance normale, s'il apercevait dans l'air que nous respirons toutes les races d'êtres invisibles, ainsi que les habitants des planètes voisines, il existerait encore des nombres infinis de races de bêtes plus petites et des mondes tellement lointains qu'il ne les atteindrait pas.

Donc toutes nos idées de proportion sont fausses puisqu'il n'y a pas de limite possible dans la grandeur ni dans la petitesse.

Notre appréciation sur les dimensions et les formes n'a aucune valeur absolue, étant déterminée uniquement par la puissance d'un organe et par une comparaison constante avec nous-mêmes.

Ajoutons que l'œil est encore incapable de voir le transparent. Un verre sans défaut le trompe. Il le confond avec l'air qu'il ne voit pas non plus.

---

1. Animal microscopique.

Passons à la couleur.

La couleur existe parce que notre œil est constitué de telle sorte qu'il transmet au cerveau, sous forme de couleur, les diverses façons dont les corps absorbent et décomposent, suivant leur constitution chimique, les rayons lumineux qui les frappent.

Toutes les proportions de cette absorption et de cette décomposition constituent les nuances.

Donc cet organe impose à l'esprit sa manière de voir, ou mieux sa façon arbitraire de constater les dimensions et d'apprécier les rapports de la lumière et de la matière.

Examinons l'ouïe.

Plus encore qu'avec l'œil, nous sommes les jouets et les dupes de cet organe fantaisiste.

Deux corps se heurtant produisent un certain ébranlement de l'atmosphère. Ce mouvement fait tressaillir dans notre oreille une certaine petite peau qui change immédiatement en bruit ce qui n'est, en réalité, qu'une vibration.

La nature est muette. Mais le tympan possède la propriété miraculeuse de nous transmettre sous forme de sens, et de sens différents suivant le nombre des vibrations, tous les frémissements des ondes invisibles de l'espace.

Cette métamorphose accomplie par le nerf auditif dans le court trajet de l'oreille au cerveau nous a permis de créer un art étrange, la musique, le plus poétique et le plus précis des arts, vague comme un songe et exact comme l'algèbre.

Que dire du goût et de l'odorat ? Connaîtrions-nous les parfums et la qualité des nourritures sans les propriétés bizarres de notre nez et de notre palais ?

L'humanité pourrait exister cependant sans l'oreille, sans le goût et sans l'odorat, c'est-à-dire sans aucune notion du bruit, de la saveur et de l'odeur.

Donc, si nous avions quelques organes de moins, nous ignorerions d'admirables et singulières choses, mais si nous avions quelques organes de plus, nous découvririons autour de nous une infinité d'autres choses que nous ne soupçonnerons jamais faute de moyen de les constater.

Donc, nous nous trompons en jugeant le Connu, et nous sommes entourés d'Inconnu inexploré.

Donc, tout est incertain et appréciable de manières différentes.

Tout est faux, tout est possible, tout est douteux.

Formulons cette certitude en nous servant du vieux dicton : « Vérité en deçà des Pyrénées, erreur au-delà. »

Et disons : vérité dans notre organe, erreur à côté.

Deux et deux ne doivent plus faire quatre en dehors de notre atmosphère.

Vérité sur la terre, erreur plus loin, d'où je conclus que les mystères entrevus comme l'électricité[1], le

---

1. Si l'existence de l'électricité est attestée dès l'Antiquité, ce n'est qu'au xviiie siècle qu'elle fait l'objet d'élaborations théoriques qui vont rendre possible son application. On réfléchit alors à ses rapports avec le magnétisme, c'est-à-dire les propriétés de la matière aimantée. Certains individus disposeraient d'un fluide magnétique leur permettant d'agir sur autrui à travers l'hypnose, la transmission de la volonté ou la suggestion. Au xviiie siècle, Mesmer affirma avoir découvert le « magnétisme animal » et être capable de le maîtriser : il en fit le remède à toutes les maladies. Le professeur Charcot à l'époque de Maupassant

sommeil hypnotique, la transmission de la volonté, la suggestion, tous les phénomènes magnétiques, ne nous demeurent cachés, que parce que la nature ne nous a pas fourni l'organe, ou les organes nécessaires pour les comprendre.

Après m'être convaincu que tout ce que me révèlent mes sens n'existe que pour moi tel que je le perçois et serait totalement différent pour un autre être autrement organisé, après en avoir conclu qu'une humanité diversement faite aurait sur le monde, sur la vie, sur tout, des idées absolument opposées aux nôtres, car l'accord des croyances ne résulte que de la similitude des organes humains, et les divergences d'opinions ne proviennent que des légères différences de fonctionnement de nos filets nerveux, j'ai fait un effort de pensée surhumain pour soupçonner l'impénétrable qui m'entoure.

Suis-je devenu fou ?

Je me suis dit : « Je suis enveloppé de choses inconnues. » J'ai supposé l'homme sans oreilles et soupçonnant le son comme nous soupçonnons tant de mystères cachés, l'homme constatant des phénomènes acoustiques dont il ne pourrait déterminer ni la nature, ni la provenance. Et j'ai eu peur de tout, autour de moi, peur de l'air, peur de la nuit. Du moment que nous ne pouvons connaître presque rien, et du moment que tout est sans limites, quel est le reste ? Le vide n'est pas ? Qu'y a-t-il dans le vide apparent ?

---

avait recours à l'hypnose pour soigner certaines maladies mentales.

Et cette terreur confuse du surnaturel qui hante l'homme depuis la naissance du monde est légitime puisque le surnaturel n'est autre chose que ce qui nous demeure voilé !

Alors j'ai compris l'épouvante. Il m'a semblé que je touchais sans cesse à la découverte d'un secret de l'univers.

J'ai tenté d'aiguiser mes organes, de les exciter, de leur faire percevoir par moments l'invisible.

Je me suis dit : « Tout est un être. Le cri qui passe dans l'air est un être comparable à la bête puisqu'il naît, produit un mouvement, se transforme encore pour mourir. Or, l'esprit craintif qui croit à des êtres incorporels n'a donc pas tort. Qui sont-ils ? »

Combien d'hommes les pressentent, frémissent à leur approche, tremblent à leur inappréciable contact. On les sent auprès de soi, autour de soi, mais on ne les peut distinguer, car nous n'avons pas l'œil qui les verrait, ou plutôt l'organe inconnu qui pourrait les découvrir.

Alors, plus que personne, je les sentais, moi, ces passants surnaturels. Êtres ou mystères ? Le sais-je ? Je ne pourrais dire ce qu'ils sont, mais je pourrais toujours signaler leur présence. Et j'ai vu — j'ai vu un être invisible — autant qu'on peut les voir, ces êtres.

Je demeurais des nuits entières immobile, assis devant ma table, la tête dans mes mains et songeant à cela, songeant à eux. Souvent j'ai cru qu'une main intangible ou plutôt qu'un corps insaisissable, m'effleurait légèrement les cheveux. Il ne me touchait pas, n'étant point d'essence charnelle, mais d'essence impondérable, inconnaissable.

Or, un soir, j'ai entendu craquer mon parquet derrière moi. Il a craqué d'une façon singulière. J'ai frémi. Je me suis tourné. Je n'ai rien vu. Et je n'y ai plus songé.

Mais le lendemain, à la même heure, le même bruit s'est produit. J'ai eu tellement peur que je me suis levé, sûr, sûr, sûr, que je n'étais pas seul dans ma chambre. On ne voyait rien pourtant. L'air était limpide, transparent partout. Mes deux lampes éclairaient tous les coins.

Le bruit ne recommença pas et je me calmai peu à peu ; je restais inquiet cependant, je me retournais souvent.

Le lendemain je m'enfermai de bonne heure, cherchant comment je pourrais parvenir à voir l'Invisible qui me visitait.

Et je l'ai vu. J'en ai failli mourir de terreur.

J'avais allumé toutes les bougies de ma cheminée et de mon lustre. La pièce était éclairée comme pour une fête. Mes deux lampes brûlaient sur ma table.

En face de moi, mon lit, un vieux lit de chêne à colonnes. À droite ma cheminée. À gauche, ma porte que j'avais fermée au verrou. Derrière moi une très grande armoire à glace. Je me regardai dedans. J'avais des yeux étranges et les pupilles très dilatées.

Puis je m'assis comme tous les jours.

Le bruit s'était produit, la veille et l'avant-veille, à neuf heures vingt-deux minutes. J'attendis. Quand arriva le moment précis, je perçus une indescriptible sensation, comme si un fluide, un fluide irrésistible eût pénétré en moi par toutes les parcelles de ma chair, noyant mon âme dans une épouvante atroce et bonne. Et le craquement se fit, tout contre moi.

Je me dressai en me tournant si vite que je faillis tomber. On y voyait comme en plein jour, et je ne me vis pas dans la glace ! Elle était vide, claire, pleine de lumière. Je n'étais pas dedans, et j'étais en face, cependant. Je la regardais avec des yeux affolés. Je n'osais pas aller vers elle, sentant bien qu'il était entre nous, lui, l'Invisible, et qu'il me cachait.

Oh ! comme j'eus peur ! Et voilà que je commençai à m'apercevoir dans une brume au fond du miroir, dans une brume comme à travers de l'eau ; et il me semblait que cette eau glissait de gauche à droite, lentement, me rendant plus précis de seconde en seconde. C'était comme la fin d'une éclipse. Ce qui me cachait n'avait pas de contours, mais une sorte de transparence opaque s'éclaircissant peu à peu.

Et je pus enfin me distinguer nettement, ainsi que je le fais tous les jours en me regardant.

Je l'avais donc vu !

Et je ne l'ai pas revu.

Mais je l'attends sans cesse, et je sens que ma tête s'égare dans cette attente.

Je reste pendant des heures, des nuits, des jours, des semaines, devant ma glace, pour l'attendre ! Il ne vient plus.

Il a compris que je l'avais vu. Mais moi je sens que je l'attendrai toujours, jusqu'à la mort, que je l'attendrai sans repos, devant cette glace, comme un chasseur à l'affût.

Et, dans cette glace, je commence à voir des images folles, des monstres, des cadavres hideux, toutes sortes de bêtes effroyables, d'êtres atroces, toutes les visions invraisemblables qui doivent hanter l'esprit des fous.

Voilà ma confession, mon cher docteur. Dites-moi ce que je dois faire ?

Pour copie :
MAUFRIGNEUSE.

Le Horla [1]

(Première version)

Le docteur Marrande, le plus illustre et le plus éminent des aliénistes, avait prié trois de ses confrères et quatre savants, s'occupant de sciences naturelles, de venir passer une heure chez lui, dans la maison de santé qu'il dirigeait, pour leur montrer un de ses malades.

Aussitôt que ses amis furent réunis, il leur dit: «Je vais vous soumettre le cas le plus bizarre et le plus inquiétant que j'aie jamais rencontré. D'ailleurs je n'ai rien à vous dire de mon client. Il parlera lui-même.» Le docteur alors sonna. Un domestique fit entrer un homme. Il était fort maigre, d'une maigreur de cadavre, comme sont maigres certains fous que ronge une pensée, car la pensée malade dévore la chair du corps plus que la fièvre ou la phtisie [2].

Ayant salué et s'étant assis, il dit:

*

---

1. Ce texte parut dans le *Gil Blas* du 26 octobre 1886 et fut repris dans la *Vie populaire* du 9 décembre 1886.
2. Tuberculose pulmonaire qui entraîne l'amaigrissement et le dépérissement du malade.

Messieurs, je sais pourquoi on vous a réunis ici et je suis prêt à vous raconter mon histoire, comme m'en a prié mon ami le docteur Marrande. Pendant longtemps il m'a cru fou. Aujourd'hui il doute. Dans quelque temps, vous saurez tous que j'ai l'esprit aussi sain, aussi lucide, aussi clairvoyant que les vôtres, malheureusement pour moi, et pour vous, et pour l'humanité tout entière.

Mais je veux commencer par les faits eux-mêmes, par les faits tout simples. Les voici :

J'ai quarante-deux ans. Je ne suis pas marié, ma fortune est suffisante pour vivre avec un certain luxe. Donc j'habitais une propriété sur les bords de la Seine, à Biessard, auprès de Rouen. J'aime la chasse et la pêche. Or j'avais derrière moi, au-dessus des grands rochers qui dominaient ma maison, une des plus belles forêts de France, celle de Roumare[1], et devant moi un des plus beaux fleuves du monde.

Ma demeure est vaste, peinte en blanc à l'extérieur, jolie, ancienne, au milieu d'un grand jardin planté d'arbres magnifiques et qui monte jusqu'à la forêt, en escaladant les énormes rochers dont je vous parlais tout à l'heure.

Mon personnel se compose, ou plutôt se composait d'un cocher, un jardinier, un valet de chambre, une cuisinière et une lingère qui était en même temps une espèce de femme de charge. Tout ce monde

---

1. La forêt de Roumare, ainsi que Biessard cité plus haut, font référence à des lieux réels en Normandie. On a souvent insisté sur la proximité de ces lieux avec Croisset, résidence de Flaubert.

habitait chez moi depuis dix à seize ans, me connaissait, connaissait ma demeure, le pays, tout l'entourage de ma vie. C'étaient de bons et tranquilles serviteurs. Cela importe pour ce que je vais dire.

J'ajoute que la Seine, qui longe mon jardin, est navigable jusqu'à Rouen, comme vous le savez sans doute ; et que je voyais passer chaque jour de grands navires soit à voile, soit à vapeur, venant de tous les coins du monde.

Donc, il y a eu un an à l'automne dernier, je fus pris tout à coup de malaises bizarres et inexplicables. Ce fut d'abord une sorte d'inquiétude nerveuse qui me tenait en éveil des nuits entières, une telle surexcitation que le moindre bruit me faisait tressaillir. Mon humeur s'aigrit. J'avais des colères subites inexplicables. J'appelai un médecin qui m'ordonna du bromure de potassium[4] et des douches.

Je me fis donc doucher matin et soir, et je me mis à boire du bromure. Bientôt, en effet, je recommençai à dormir, mais d'un sommeil plus affreux que l'insomnie. À peine couché, je fermais les yeux et je m'anéantissais. Oui, je tombais dans le néant, dans un néant absolu, dans une mort de l'être entier dont j'étais tiré brusquement, horriblement par l'épouvantable sensation d'un poids écrasant sur ma poitrine, et d'une bouche qui mangeait ma vie, sur ma bouche. Oh ! ces secousses-là ! je ne sais rien de plus épouvantable.

Figurez-vous un homme qui dort, qu'on assassine, et qui se réveille avec un couteau dans la gorge ; et

---

1. Sédatif, souvent utilisé pour soigner les maladies nerveuses.

qui râle couvert de sang, et qui ne peut plus respirer, et qui va mourir, et qui ne comprend pas — voilà !

Je maigrissais d'une façon inquiétante, continue ; et je m'aperçus soudain que mon cocher, qui était fort gros, commençait à maigrir comme moi.

Je lui demandai enfin :

« Qu'avez-vous donc, Jean ? Vous êtes malade. »

Il répondit :

« Je crois bien que j'ai gagné la même maladie que monsieur. C'est mes nuits qui perdent mes jours. »

Je pensai donc qu'il y avait dans la maison une influence fiévreuse due au voisinage du fleuve et j'allais m'en aller pour deux ou trois mois, bien que nous fussions en pleine saison de chasse, quand un petit fait très bizarre, observé par hasard, amena pour moi une telle suite de découvertes invraisemblables, fantastiques, effrayantes, que je restai.

Ayant soif un soir, je bus un demi-verre d'eau et je remarquai que ma carafe, posée sur la commode en face de mon lit, était pleine jusqu'au bouchon de cristal.

J'eus, pendant la nuit, un de ces réveils affreux dont je viens de vous parler. J'allumai ma bougie, en proie à une épouvantable angoisse, et, comme je voulus boire de nouveau, je m'aperçus avec stupeur que ma carafe était vide. Je n'en pouvais croire mes yeux. Ou bien on était entré dans ma chambre, ou bien j'étais somnambule.

Le soir suivant, je voulus faire la même épreuve. Je fermai donc ma porte à clef pour être certain que personne ne pourrait pénétrer chez moi. Je m'endormis et je me réveillai comme chaque nuit. *On* avait bu toute l'eau que j'avais vue deux heures plus tôt.

Qui avait bu cette eau ? Moi, sans doute, et pourtant je me croyais sûr, absolument sûr, de n'avoir pas fait un mouvement dans mon sommeil profond et douloureux.

Alors j'eus recours à des ruses pour me convaincre que je n'accomplissais point ces actes inconscients. Je plaçai un soir, à côté de la carafe, une bouteille de vieux bordeaux, une tasse de lait dont j'ai horreur, et des gâteaux au chocolat que j'adore.

Le vin et les gâteaux demeurèrent intacts. Le lait et l'eau disparurent. Alors, chaque jour, je changeai les boissons et les nourritures. Jamais *on* ne toucha aux choses solides, compactes, et *on* ne but, en fait de liquide, que du laitage frais et de l'eau surtout.

Mais ce doute poignant restait dans mon âme. N'était-ce pas moi qui me levais sans en avoir conscience, et qui buvais même les choses détestées, car mes sens engourdis par le sommeil somnambulique pouvaient être modifiés, avoir perdu leurs répugnances ordinaires et acquis des goûts différents.

Je me servis alors d'une ruse nouvelle contre moi-même. J'enveloppai tous les objets auxquels il fallait infailliblement toucher avec des bandelettes de mousseline blanche et je les recouvris encore avec une serviette de batiste[1].

Puis, au moment de me mettre au lit, je me barbouillai les mains, les lèvres et les moustaches avec de la mine de plomb.

---

1. Toile de lin très fine.

À mon réveil, tous les objets étaient demeurés immaculés bien qu'on y eût touché, car la serviette n'était point posée comme je l'avais mise ; et, de plus, on avait bu de l'eau et du lait. Or ma porte fermée avec une clef de sûreté et mes volets cadenassés par prudence n'avaient pu laisser pénétrer personne.

Alors, je me posai cette redoutable question : Qui donc était là, toutes les nuits, près de moi ?

Je sens, messieurs, que je vous raconte cela trop vite. Vous souriez, votre opinion est déjà faite : « C'est un fou. » J'aurais dû vous décrire longuement cette émotion d'un homme qui, enfermé chez lui, l'esprit sain, regarde, à travers le verre d'une carafe, un peu d'eau disparue pendant qu'il a dormi. J'aurais dû vous faire comprendre cette torture renouvelée chaque soir et chaque matin, et cet invincible sommeil, et ces réveils plus épouvantables encore.

Mais je continue.

Tout à coup, le miracle cessa. *On* ne touchait plus à rien dans ma chambre. C'était fini. J'allais mieux, d'ailleurs. La gaieté me revenait, quand j'appris qu'un de mes voisins, M. Legite, se trouvait exactement dans l'état où j'avais été moi-même. Je crus de nouveau à une influence fiévreuse dans le pays. Mon cocher m'avait quitté depuis un mois, fort malade.

L'hiver était passé, le printemps commençait. Or, un matin, comme je me promenais près de mon parterre de rosiers, je vis, je vis distinctement, tout près de moi, la tige d'une des plus belles roses se casser comme si une main invisible l'eût cueillie ; puis la fleur suivit la courbe qu'aurait décrite un bras en la portant vers une bouche, et resta suspendue dans l'air transparent, toute seule, immobile, effrayante, à trois pas de mes yeux.

Saisi d'une épouvante folle, je me jetai sur elle pour la saisir. Je ne trouvai rien. Elle avait disparu. Alors, je fus pris d'une colère furieuse contre moi-même. Il n'est pas permis à un homme raisonnable et sérieux d'avoir de pareilles hallucinations !

Mais était-ce bien une hallucination ? Je cherchai la tige. Je la retrouvai immédiatement sur l'arbuste, fraîchement cassée, entre deux autres roses demeurées sur la branche ; car elles étaient trois que j'avais vues parfaitement.

Alors je rentrai chez moi, l'âme bouleversée. Messieurs, écoutez-moi, je suis calme ; je ne croyais pas au surnaturel, je n'y crois pas même aujourd'hui ; mais, à partir de ce moment-là, je fus certain, certain comme du jour et de la nuit, qu'il existait près de moi un être invisible qui m'avait hanté, puis m'avait quitté, et qui revenait.

Un peu plus tard j'en eus la preuve.

Entre mes domestiques d'abord éclataient tous les jours des querelles furieuses pour mille causes futiles en apparence, mais pleines de sens pour moi désormais.

Un verre, un beau verre de Venise se brisa tout seul, sur le dressoir de ma salle à manger, en plein jour.

Le valet de chambre accusa la cuisinière, qui accusa la lingère, qui accusa je ne sais qui.

Des portes fermées le soir étaient ouvertes le matin. On volait du lait, chaque nuit, dans l'office.
— Ah !

Quel était-il ? De quelle nature ? Une curiosité énervée, mêlée de colère et d'épouvante, me tenait jour
et nuit dans un état d'extrême agitation.

Mais la maison redevint calme encore une fois ; et
je croyais de nouveau à des rêves quand se passa la
chose suivante :

C'était le 20 juillet, à neuf heures du soir. Il faisait
fort chaud ; j'avais laissé ma fenêtre toute grande, ma
lampe allumée sur ma table, éclairant un volume de
Musset ouvert à la *Nuit de Mai* [1] ; et je m'étais étendu
dans un grand fauteuil où je m'endormis.

Or, ayant dormi environ quarante minutes, je rouvris les yeux, sans faire un mouvement, réveillé par je
ne sais quelle émotion confuse et bizarre. Je ne vis
rien d'abord, puis tout à coup il me sembla qu'une
page du livre venait de tourner toute seule. Aucun
souffle d'air n'était entré par la fenêtre. Je fus surpris ;
et j'attendis. Au bout de quatre minutes environ, je
vis, je vis, oui, je vis, messieurs, de mes yeux, une
autre page se soulever et se rabattre sur la précédente comme si un doigt l'eût feuilletée. Mon fauteuil
semblait vide, mais je compris qu'il était là, *lui* ! Je traversai ma chambre d'un bond pour le prendre, pour
le toucher, pour le saisir, si cela se pouvait... Mais
mon siège, avant que je l'eusse atteint, se renversa
comme si on eût fui devant moi ; ma lampe aussi
tomba et s'éteignit, le verre brisé ; et ma fenêtre

---

1. Ce poème met en scène le poète solitaire, que vient visiter
la Muse. Mais, puisque les pages de ce volume se tournent sous
les yeux du narrateur, on notera que ce poème est suivi de la *Nuit
de Décembre*, où le poète évoque ses rencontres avec son double,
« qui [lui] ressemblait comme un frère ».

brusquement poussée comme si un malfaiteur l'eût saisie en se sauvant alla frapper sur son arrêt... Ah !

Je me jetai sur la sonnette et j'appelai. Quand mon valet de chambre parut, je lui dis :

« J'ai tout renversé et tout brisé. Donnez-moi de la lumière. »

Je ne dormis plus cette nuit-là. Et cependant j'avais pu encore être le jouet d'une illusion. Au réveil les sens demeurent troubles. N'était-ce pas moi qui avais jeté bas mon fauteuil et ma lumière en me précipitant comme un fou ?

Non, ce n'était pas moi ! je le savais à n'en point douter une seconde. Et cependant je le voulais croire.

Attendez. L'Être ! Comment le nommerai-je ? L'Invisible. Non, cela ne suffit pas. Je l'ai baptisé le Horla. Pourquoi ? Je ne sais point. Donc le Horla ne me quittait plus guère. J'avais jour et nuit la sensation, la certitude de la présence de cet insaisissable voisin, et la certitude aussi qu'il prenait ma vie, heure par heure, minute par minute.

L'impossibilité de le voir m'exaspérait et j'allumais toutes les lumières de mon appartement, comme si j'eusse pu, dans cette clarté, le découvrir.

Je le vis, enfin.

Vous ne me croyez pas. Je l'ai vu cependant.

J'étais assis devant un livre quelconque, ne lisant pas, mais guettant, avec tous mes organes surexcités, guettant celui que je sentais près de moi. Certes, il était là. Mais où ? Que faisait-il ? Comment l'atteindre ?

En face de moi mon lit, un vieux lit de chêne à colonnes. À droite ma cheminée. À gauche ma porte que j'avais fermée avec soin. Derrière moi une très grande armoire à glace qui me servait chaque jour pour me raser, pour m'habiller, où j'avais coutume de me regarder de la tête aux pieds chaque fois que je passais devant. *miroir*

Donc je faisais semblant de lire, pour le tromper, car il m'épiait lui aussi ; et soudain je sentis, je fus certain qu'il lisait par-dessus mon épaule, qu'il était là, frôlant mon oreille.

Je me dressai, en me tournant si vite que je faillis tomber. Eh bien !... On y voyait comme en plein jour... et je ne me vis pas dans ma glace ! Elle était vide, claire, pleine de lumière. Mon image n'était pas dedans... Et j'étais en face... Je voyais le grand verre, limpide du haut en bas ! Et je regardais cela avec des yeux affolés, et je n'osais plus avancer, sentant bien qu'il se trouvait entre nous, lui, et qu'il m'échapperait encore, mais que son corps imperceptible avait absorbé mon reflet.

Comme j'eus peur ! Puis voilà que tout à coup je commençai à m'apercevoir dans une brume au fond du miroir, dans une brume comme à travers une nappe d'eau ; et il me semblait que cette eau glissait de gauche à droite, lentement, rendant plus précise mon image de seconde en seconde. C'était comme la fin d'une éclipse. Ce qui me cachait ne paraissait point posséder de contours nettement arrêtés, mais une sorte de transparence opaque s'éclaircissant peu à peu.

Je pus enfin me distinguer complètement ainsi que je fais chaque jour en me regardant.

Je l'avais vu. L'épouvante m'en est restée qui me fait encore frissonner.

Le lendemain j'étais ici, où je priai qu'on me gardât. Maintenant, messieurs, je conclus.

Le docteur Marrande, après avoir longtemps douté, se décida à faire, seul, un voyage dans mon pays.

Trois de mes voisins, à présent, sont atteints comme je l'étais. Est-ce vrai?

Le médecin répondit: « C'est vrai! »

Vous leur avez conseillé de laisser de l'eau et du lait chaque nuit dans leur chambre pour voir si ces liquides disparaîtraient. Ils l'ont fait. Ces liquides ont-ils disparu comme chez moi?

Le médecin répondit avec une gravité solennelle: « Ils ont disparu. »

Donc, messieurs, un Être, un Être nouveau, qui sans doute se multipliera bientôt comme nous nous sommes multipliés, vient d'apparaître sur la terre.

Ah! vous souriez! Pourquoi? parce que cet Être demeure invisible. Mais notre œil, messieurs, est un organe tellement élémentaire qu'il peut distinguer à peine ce qui est indispensable à notre existence. Ce qui est trop petit lui échappe, ce qui est trop grand lui échappe, ce qui est trop loin lui échappe. Il ignore les milliards de petites bêtes qui vivent dans une goutte d'eau. Il ignore les habitants, les plantes et le sol des étoiles voisines; il ne voit pas même le transparent.

Placez devant lui une glace sans tain parfaite, il ne la distinguera pas et nous jettera dessus, comme l'oiseau pris dans une maison qui se casse la tête aux vitres. Donc, il ne voit pas les corps solides et transparents qui existent pourtant; il ne voit pas l'air dont nous nous nourrissons, ne voit pas le vent qui est la plus grande force de la nature, qui renverse les hommes, abat les édifices, déracine les arbres, soulève la mer en montagnes d'eau qui font crouler les falaises de granit.

Quoi d'étonnant à ce qu'il ne voie pas un corps nouveau, à qui manque sans doute la seule propriété d'arrêter les rayons lumineux.

Apercevez-vous l'électricité ? Et cependant elle existe !

Cet être, que j'ai nommé le Horla, existe aussi.

Qui est-ce ? Messieurs, c'est celui que la terre attend, après l'homme ! Celui qui vient nous détrôner, nous asservir, nous dompter, et se nourrir de nous peut-être, comme nous nous nourrissons des bœufs et des sangliers.

Depuis des siècles, on le pressent, on le redoute et on l'annonce ! La peur de l'Invisible a toujours hanté nos pères.

Il est venu.

Toutes les légendes des fées, des gnomes[1], des rôdeurs de l'air insaisissables et malfaisants, c'était de lui qu'elles parlaient, de lui pressenti par l'homme inquiet et tremblant déjà.

Et tout ce que vous faites vous-mêmes, messieurs, depuis quelques ans, ce que vous appelez l'hypnotisme, la suggestion, le magnétisme[2] — c'est lui que vous annoncez, que vous prophétisez !

Je vous dis qu'il est venu. Il rôde inquiet lui-même comme les premiers hommes, ignorant encore sa force et sa puissance qu'il connaîtra bientôt, trop tôt.

---

1. Petits génies difformes.
2. Voir note 1, p. 11.

Et voici, messieurs, pour finir un fragment de journal qui m'est tombé sous la main et qui vient de Rio de Janeiro[1]. Je lis: «Une sorte d'épidémie de folie semble sévir depuis quelque temps dans la province de San-Paulo. Les habitants de plusieurs villages se sont sauvés abandonnant leurs terres et leurs maisons et se prétendant poursuivis et mangés par des vampires invisibles qui se nourrissent de leur souffle pendant leur sommeil et qui ne boiraient, en outre, que de l'eau, et quelquefois du lait!»

J'ajoute: «Quelques jours avant la première atteinte du mal dont j'ai failli mourir, je me rappelle parfaitement avoir vu passer un grand trois-mâts brésilien avec son pavillon déployé... Je vous ai dit que ma maison est au bord de l'eau... toute blanche... Il était caché sur ce bateau sans doute...»

Je n'ai plus rien à ajouter, messieurs.

*

Le docteur Marrande se leva et murmura:

«Moi non plus. Je ne sais si cet homme est fou ou si nous le sommes tous les deux..., ou si... si notre successeur est réellement arrivé.»

---

1. Référence probable (mais adaptée aux besoins de la fiction) à une épidémie de choléra qui déclencha effectivement une vague dans le Midi en 1884. Maupassant transpose en même temps surtout dans la version de 1887, ce qui se pratiquait à ce moment-là : des vaisseaux anglais servaient de relais aux navires mis en quarantaine et entraient notamment au Havre.

Le Horla[1]

8 mai. — Quelle journée admirable! J'ai passé toute la matinée étendu sur l'herbe, devant ma maison, sous l'énorme platane qui la couvre, l'abrite et l'ombrage tout entière. J'aime ce pays, et j'aime y vivre parce que j'y ai mes racines, ces profondes et délicates racines, qui attachent un homme à la terre où sont nés et morts ses aïeux, qui l'attachent à ce qu'on pense et à ce qu'on mange, aux usages comme aux nourritures, aux locutions locales, aux intonations des paysans, aux odeurs du sol, des villages et de l'air lui-même.

J'aime ma maison où j'ai grandi. De mes fenêtres, je vois la Seine qui coule, le long de mon jardin, derrière la route, presque chez moi, la grande et large Seine, qui va de Rouen au Havre, couverte de bateaux qui passent.

À gauche, là-bas, Rouen, la vaste ville aux toits bleus, sous le peuple pointu des clochers gothiques. Ils sont innombrables, frêles ou larges, dominés par la flèche de fonte de la cathédrale, et pleins de cloches

---

1. Ce récit parut dans le recueil *Le Horla* en mai 1887.

qui sonnent dans l'air bleu des belles matinées, jetant jusqu'à moi leur doux et lointain bourdonnement de fer, leur chant d'airain [1] que la brise m'apporte, tantôt plus fort et tantôt plus affaibli, suivant qu'elle s'éveille ou s'assoupit.

Comme il faisait bon ce matin !

Vers onze heures, un long convoi de navires, traînés par un remorqueur, gros comme une mouche, et qui râlait de peine en vomissant une fumée épaisse, défila devant ma grille.

Après deux goélettes anglaises, dont le pavillon rouge ondoyait sur le ciel, venait un superbe trois-mâts brésilien, tout blanc, admirablement propre et luisant. Je le saluai, je ne sais pourquoi, tant ce navire me fit plaisir à voir.

12 mai. — J'ai un peu de fièvre depuis quelques jours; je me sens souffrant, ou plutôt je me sens triste.

D'où viennent ces influences mystérieuses qui changent en découragement notre bonheur et notre confiance en détresse ? On dirait que l'air, l'air invisible est plein d'inconnaissables Puissances, dont nous subissons les voisinages mystérieux. Je m'éveille plein de gaieté, avec des envies de chanter dans la gorge. — Pourquoi ? — Je descends le long de l'eau; et soudain, après une courte promenade, je rentre désolé, comme si quelque malheur m'attendait chez moi. — Pourquoi ? — Est-ce un frisson de froid qui, frôlant ma peau, a ébranlé mes nerfs et assombri mon

---

1. De bronze.

âme ? Est-ce la forme des nuages, ou la couleur du jour, la couleur des choses, si variable, qui, passant par mes yeux, a troublé ma pensée ? Sait-on ? Tout ce qui nous entoure, tout ce que nous voyons sans le regarder, tout ce que nous frôlons sans le connaître, tout ce que nous touchons sans le palper, tout ce que nous rencontrons sans le distinguer, a sur nous, sur nos organes et, par eux, sur nos idées, sur notre cœur lui-même, des effets rapides, surprenants et inexplicables ?

Comme il est profond, ce mystère de l'Invisible ! Nous ne le pouvons sonder avec nos sens misérables, avec nos yeux qui ne savent apercevoir ni le trop petit, ni le trop grand, ni le trop près, ni le trop loin, ni les habitants d'une étoile, ni les habitants d'une goutte d'eau... avec nos oreilles qui nous trompent, car elles nous transmettent les vibrations de l'air en notes sonores. Elles sont des fées qui font ce miracle de changer en bruit ce mouvement et par cette métamorphose donnent naissance à la musique, qui rend chantante l'agitation muette de la nature... avec notre odorat, plus faible que celui du chien... avec notre goût, qui peut à peine discerner l'âge d'un vin !

Ah ! si nous avions d'autres organes qui accompliraient en notre faveur d'autres miracles, que de choses nous pourrions découvrir encore autour de nous !

16 mai. — Je suis malade, décidément ! Je me portais si bien le mois dernier ! J'ai la fièvre, une fièvre atroce, ou plutôt un énervement fiévreux, qui rend mon âme aussi souffrante que mon corps ! J'ai sans cesse cette sensation affreuse d'un danger menaçant, cette appréhension d'un malheur qui vient ou de la mort qui approche, ce pressentiment qui est sans doute l'atteinte d'un mal encore inconnu, germant dans le sang et dans la chair.

18 mai. — Je viens d'aller consulter mon médecin, car je ne pouvais plus dormir. Il m'a trouvé le pouls rapide, l'œil dilaté, les nerfs vibrants, mais sans aucun symptôme alarmant. Je dois me soumettre aux douches et boire du bromure de potassium[1].

25 mai. — Aucun changement! Mon état, vraiment, est bizarre. À mesure qu'approche le soir, une inquiétude incompréhensible m'envahit, comme si la nuit cachait pour moi une menace terrible. Je dîne vite, puis j'essaie de lire; mais je ne comprends pas les mots; je distingue à peine les lettres. Je marche alors dans mon salon de long en large, sous l'oppression d'une crainte confuse et irrésistible, la crainte du sommeil et la crainte du lit.

Vers dix heures, je monte dans ma chambre. À peine entré, je donne deux tours de clef, et je pousse les verrous; j'ai peur... de quoi?... Je ne redoutais rien jusqu'ici... j'ouvre mes armoires, je regarde sous mon lit; j'écoute... j'écoute... quoi?... Est-ce étrange qu'un simple malaise, un trouble de la circulation peut-être, l'irritation d'un filet nerveux, un peu de congestion[2], une toute petite perturbation dans le

---

1. Voir note 1, p. 19.
2. Afflux de sang dans une partie du corps.

fonctionnement si imparfait et si délicat de notre machine vivante, puisse faire un mélancolique du plus joyeux des hommes, et un poltron du plus brave ? Puis, je me couche, et j'attends le sommeil comme on attendrait le bourreau. Je l'attends avec l'épouvante de sa venue, et mon cœur bat, et mes jambes frémissent ; et tout mon corps tressaille dans la chaleur des draps, jusqu'au moment où je tombe tout à coup dans le repos, comme on tomberait pour s'y noyer, dans un gouffre d'eau stagnante. Je ne le sens pas venir, comme autrefois, ce sommeil perfide, caché près de moi, qui me guette, qui va me saisir par la tête, me fermer les yeux, m'anéantir.

Je dors — longtemps — deux ou trois heures — puis un rêve — non — un cauchemar m'étreint. Je sens bien que je suis couché et que je dors… je le sens et je le sais… et je sens aussi que quelqu'un s'approche de moi, me regarde, me palpe, monte sur mon lit, s'agenouille sur ma poitrine, me prend le cou entre ses mains et serre… serre… de toute sa force pour m'étrangler.

Moi, je me débats, lié par cette impuissance atroce, qui nous paralyse dans les songes ; je veux crier, — je ne peux pas ; — je veux remuer, — je ne peux pas ; — j'essaie, avec des efforts affreux, en haletant, de me tourner, de rejeter cet être qui m'écrase et qui m'étouffe, — je ne peux pas !

Et soudain, je m'éveille, affolé, couvert de sueur. J'allume une bougie. Je suis seul.

Après cette crise, qui se renouvelle toutes les nuits, je dors enfin, avec calme, jusqu'à l'aurore.

2 juin. — Mon état s'est encore aggravé. Qu'ai-je donc? Le bromure n'y fait rien; les douches n'y font rien. Tantôt, pour fatiguer mon corps, si las pourtant, j'allai faire un tour dans la forêt de Roumare[1]. Je crus d'abord que l'air frais, léger et doux, plein d'odeur d'herbes et de feuilles, me versait aux veines un sang nouveau, au cœur une énergie nouvelle. Je pris une grande avenue de chasse, puis je tournai vers La Bouille[2], par une allée étroite, entre deux armées d'arbres démesurément hauts qui mettaient un toit vert, épais, presque noir, entre le ciel et moi.

Un frisson me saisit soudain, non pas un frisson de froid, mais un étrange frisson d'angoisse.

Je hâtai le pas, inquiet d'être seul dans ce bois, apeuré sans raison, stupidement, par la profonde solitude. Tout à coup, il me sembla que j'étais suivi, qu'on marchait sur mes talons, tout près, à me toucher.

Je me retournai brusquement. J'étais seul. Je ne vis derrière moi que la droite et large allée, vide, haute, redoutablement vide; et de l'autre côté elle s'étendait aussi à perte de vue, toute pareille, effrayante.

Je fermai les yeux. Pourquoi? Et je me mis à tourner sur un talon, très vite, comme une toupie. Je faillis tomber; je rouvris les yeux, les arbres dansaient, la terre flottait; je dus m'asseoir. Puis, ah! je ne savais plus par où j'étais venu! Bizarre idée! Bizarre! Bizarre idée! Je ne savais plus du tout. Je partis par le côté qui se trouvait à ma droite, et je

---

1. Voir note 1, p. 18.
2. Village proche de Rouen, connu pour son site exceptionnel.

revins dans l'avenue qui m'avait amené au milieu de la forêt.

3 juin. — La nuit a été horrible. Je vais m'absenter pendant quelques semaines. Un petit voyage, sans doute, me remettra.

2 juillet. — Je rentre. Je suis guéri. J'ai fait d'ailleurs une excursion charmante. J'ai visité le mont Saint-Michel[1] que je ne connaissais pas.

Quelle vision, quand on arrive, comme moi, à Avranches, vers la fin du jour! La ville est sur une colline; et on me conduisit dans le jardin public, au bout de la cité. Je poussai un cri d'étonnement. Une baie démesurée s'étendait devant moi, à perte de vue, entre deux côtes écartées se perdant au loin dans les brumes; et au milieu de cette immense baie jaune, sous un ciel d'or et de clarté, s'élevait sombre et pointu un mont étrange, au milieu des sables. Le soleil venait de disparaître, et sur l'horizon encore flamboyant se dessinait le profil de ce fantastique rocher qui porte sur son sommet un fantastique monument.

Dès l'aurore, j'allai vers lui. La mer était basse, comme la veille au soir, et je regardais se dresser devant moi, à mesure que j'approchais d'elle, la surprenante abbaye. Après plusieurs heures de marche, j'atteignis l'énorme bloc de pierres qui porte la petite cité dominée par la grande église. Ayant gravi la rue

---

1. Le sujet passionnait l'opinion parce qu'on avait cru le site menacé de disparaître sous les assauts de la mer. Il a fait l'objet d'un autre conte de Maupassant, *La Légende du Mont-Saint-Michel* (1882).

étroite et rapide, j'entrai dans la plus admirable demeure gothique construite pour Dieu sur la terre, vaste comme une ville, pleine de salles basses écrasées sous des voûtes et de hautes galeries que soutiennent de frêles colonnes. J'entrai dans ce gigantesque bijou de granit, aussi léger qu'une dentelle, couvert de tours, de sveltes clochetons, où montent des escaliers tordus, et qui lancent dans le ciel bleu des jours, dans le ciel noir des nuits, leurs têtes bizarres hérissées de chimères[1], de diables, de bêtes fantastiques, de fleurs monstrueuses, et reliés l'un à l'autre par de fines arches ouvragées.

Quand je fus sur le sommet, je dis au moine qui m'accompagnait : « Mon Père, comme vous devez être bien ici ! »

Il répondit : « Il y a beaucoup de vent, monsieur » ; et nous nous mîmes à causer en regardant monter la mer, qui courait sur le sable et le couvrait d'une cuirasse d'acier.

Et le moine me conta des histoires, toutes les vieilles histoires de ce lieu, des légendes, toujours des légendes.

Une d'elles me frappa beaucoup. Les gens du pays, ceux du mont, prétendent qu'on entend parler la nuit dans les sables, puis qu'on entend bêler deux chèvres, l'une avec une voix forte, l'autre avec une voix faible. Les incrédules affirment que ce sont les cris des oiseaux de mer, qui ressemblent tantôt à des bêlements, et tantôt à des plaintes humaines ; mais les

---

1. Monstres fabuleux à tête et poitrail de lion, ventre de chèvre, queue de dragon, crachant des flammes.

pêcheurs attardés jurent avoir rencontré, rôdant sur les dunes, entre deux marées, autour de la petite ville jetée ainsi loin du monde, un vieux berger, dont on ne voit jamais la tête couverte de son manteau, et qui conduit, en marchant devant eux, un bouc à figure d'homme et une chèvre à figure de femme, tous deux avec de longs cheveux blancs et parlant sans cesse, se querellant dans une langue inconnue, puis cessant soudain de crier pour bêler de toute leur force.

Je dis au moine : « Y croyez-vous ? »

Il murmura : « Je ne sais pas. »

Je repris : « S'il existait sur la terre d'autres êtres que nous, comment ne les connaîtrions-nous point depuis longtemps ; comment ne les auriez-vous pas vus, vous ? comment ne les aurais-je pas vus, moi ? »

Il répondit : « Est-ce que nous voyons la cent millième partie de ce qui existe ? Tenez, voici le vent, qui est la plus grande force de la nature, qui renverse les hommes, abat les édifices, déracine les arbres, soulève la mer en montagnes d'eau, détruit les falaises, et jette aux brisants les grands navires, le vent qui tue, qui siffle, qui gémit, qui mugit, — l'avez-vous vu, et pouvez-vous le voir ? Il existe, pourtant. »

Je me tus devant ce simple raisonnement. Cet homme était un sage ou peut-être un sot. Je ne l'aurais pu affirmer au juste ; mais je me tus. Ce qu'il disait là, je l'avais pensé souvent.

3 juillet. — J'ai mal dormi ; certes, il y a ici une influence fiévreuse, car mon cocher souffre du même mal que moi. En rentrant hier, j'avais remarqué sa pâleur singulière. Je lui demandai :

« Qu'est-ce que vous avez, Jean ?

— J'ai que je ne peux plus me reposer, monsieur, ce sont mes nuits qui mangent mes jours. Depuis le départ de monsieur, cela me tient comme un sort. »

Les autres domestiques vont bien cependant, mais j'ai grand-peur d'être repris, moi.

4 juillet. — Décidément, je suis repris. Mes cauchemars anciens reviennent. Cette nuit, j'ai senti quelqu'un accroupi sur moi, et qui, sa bouche sur la mienne, buvait ma vie entre mes lèvres. Oui, il la puisait dans ma gorge, comme aurait fait une sangsue[1]. Puis il s'est levé, repu, et moi je me suis réveillé, tellement meurtri, brisé, anéanti, que je ne pouvais plus remuer. Si cela continue encore quelques jours, je repartirai certainement.

5 juillet. — Ai-je perdu la raison ? Ce qui s'est passé, ce que j'ai vu la nuit dernière est tellement étrange, que ma tête s'égare quand j'y songe !

Comme je le fais maintenant chaque soir, j'avais fermé ma porte à clef ; puis, ayant soif, je bus un demi-verre d'eau, et je remarquai par hasard que ma carafe était pleine jusqu'au bouchon de cristal.

Je me couchai ensuite et je tombai dans un de mes sommeils épouvantables, dont je fus tiré au bout de deux heures environ par une secousse plus affreuse encore.

Figurez-vous un homme qui dort, qu'on assassine, et qui se réveille, avec un couteau dans le poumon, et

---

1. Ver parasite, qui se colle à la peau et suce le sang.

qui râle couvert de sang, et qui ne peut plus respirer, et qui va mourir, et qui ne comprend pas — voilà.

Ayant enfin reconquis ma raison, j'eus soif de nouveau ; j'allumai une bougie et j'allai vers la table où était posée ma carafe. Je la soulevai en la penchant sur mon verre ; rien ne coula. — Elle était vide ! Elle était vide complètement ! D'abord, je n'y compris rien ; puis, tout à coup, je ressentis une émotion si terrible, que je dus m'asseoir, ou plutôt, que je tombai sur une chaise ! puis, je me redressai d'un saut pour regarder autour de moi ! puis je me rassis, éperdu d'étonnement et de peur, devant le cristal transparent ! Je le contemplais avec des yeux fixes, cherchant à deviner. Mes mains tremblaient ! On avait donc bu cette eau ? Qui ? Moi ? moi, sans doute ? Ce ne pouvait être que moi ? Alors, j'étais somnambule, je vivais, sans le savoir, de cette double vie mystérieuse qui fait douter s'il y a deux êtres en nous, ou si un être étranger, inconnaissable et invisible, anime, par moments, quand notre âme est engourdie, notre corps captif qui obéit à cet autre, comme à nous-mêmes, plus qu'à nous-mêmes.

Ah ! qui comprendra mon angoisse abominable ? Qui comprendra l'émotion d'un homme, sain d'esprit, bien éveillé, plein de raison, et qui regarde épouvanté, à travers le verre d'une carafe, un peu d'eau disparue pendant qu'il a dormi ! Et je restai là jusqu'au jour, sans oser regagner mon lit.

6 juillet. — Je deviens fou. On a encore bu toute ma carafe cette nuit ; — ou plutôt, je l'ai bue !

Mais, est-ce moi ? Est-ce moi ? Qui serait-ce ? Qui ? Oh ! mon Dieu ! Je deviens fou ? Qui me sauvera ?

10 juillet. — Je viens de faire des épreuves surpre-
nantes.

Décidément, je suis fou ! Et pourtant !

Le 6 juillet, avant de me coucher, j'ai placé sur ma
table du vin, du lait, de l'eau, du pain et des fraises.
On a bu — j'ai bu — toute l'eau, et un peu de lait.
On n'a touché ni au vin, ni au pain, ni aux fraises.

Le 7 juillet, j'ai renouvelé la même épreuve, qui a
donné le même résultat.

Le 8 juillet, j'ai supprimé l'eau et le lait. On n'a touché à rien.

Le 9 juillet enfin, j'ai remis sur ma table l'eau et le
lait seulement, en ayant soin d'envelopper les carafes
en des linges de mousseline blanche et de ficeler les
bouchons. Puis, j'ai frotté mes lèvres, ma barbe, mes
mains avec de la mine de plomb, et je me suis couché.

L'invincible sommeil m'a saisi, suivi bientôt de
l'atroce réveil. Je n'avais point remué ; mes draps
eux-mêmes ne portaient pas de taches. Je m'élançai
vers ma table. Les linges enfermant les bouteilles
étaient demeurés immaculés. Je déliai les cordons, en
palpitant de crainte. On avait bu toute l'eau ! on avait
bu tout le lait ! Ah ! mon Dieu !…

Je vais partir tout à l'heure pour Paris.

12 juillet. — Paris. J'avais donc perdu la tête les
jours derniers ! J'ai dû être le jouet de mon imagination énervée, à moins que je ne sois vraiment somnambule, ou que j'aie subi une de ces influences
constatées, mais inexplicables jusqu'ici, qu'on appelle
suggestions. En tout cas, mon affolement touchait à la

démence, et vingt-quatre heures de Paris ont suffi pour me remettre d'aplomb.

Hier, après des courses et des visites, qui m'ont fait passer dans l'âme de l'air nouveau et vivifiant, j'ai fini ma soirée au Théâtre-Français. On y jouait une pièce d'Alexandre Dumas fils [1] ; et cet esprit alerte et puissant a achevé de me guérir. Certes, la solitude est dangereuse pour les intelligences qui travaillent. Il nous faut autour de nous, des hommes qui pensent et qui parlent. Quand nous sommes seuls longtemps, nous peuplons le vide de fantômes.

Je suis rentré à l'hôtel très gai, par les boulevards. Au coudoiement de la foule, je songeais, non sans ironie, à mes terreurs, à mes suppositions de l'autre semaine, car j'ai cru, oui, j'ai cru qu'un être invisible habitait sous mon toit. Comme notre tête est faible et s'effare, et s'égare vite, dès qu'un petit fait incompréhensible nous frappe !

Au lieu de conclure par ces simples mots : « Je ne comprends pas parce que la cause m'échappe », nous imaginons aussitôt des mystères effrayants et des puissances surnaturelles.

14 juillet. — Fête de la République [2] Je me suis promené par les rues. Les pétards et les drapeaux m'amusaient comme un enfant. C'est pourtant fort bête

---

1. Alexandre Dumas fils (1824-1895) : fils du célèbre auteur des *Trois Mousquetaires*, ami de Maupassant, il fut écrivain (*La Dame aux camélias*) et dramaturge. Ses pièces, animées par les thèses sociales du romantisme, firent scandale par leur engagement politique… et leur réalisme.
2. Le 14 juillet était fête nationale depuis 1880.

d'être joyeux, à date fixe, par décret du gouvernement. Le peuple est un troupeau imbécile, tantôt stupidement patient et tantôt férocement révolté. On lui dit : « Amuse-toi. » Il s'amuse. On lui dit : « Va te battre avec le voisin. » Il va se battre. On lui dit : « Vote pour l'Empereur. » Il vote pour l'Empereur. Puis, on lui dit : « Vote pour la République. » Et il vote pour la République [1].

Ceux qui le dirigent sont aussi sots ; mais, au lieu d'obéir à des hommes, ils obéissent à des principes, lesquels ne peuvent être que niais, stériles et faux, par cela même qu'ils sont des principes, c'est-à-dire des idées réputées certaines et immuables, en ce monde où l'on n'est sûr de rien, puisque la lumière est une illusion, puisque le bruit est une illusion.

16 juillet. — J'ai vu hier des choses qui m'ont beaucoup troublé.

Je dînais chez ma cousine, Mme Sablé, dont le mari commande le 76e chasseurs à Limoges. Je me trouvais chez elle avec deux jeunes femmes, dont l'une a épousé un médecin, le docteur Parent, qui s'occupe beaucoup des maladies nerveuses et des manifestations extraordinaires auxquelles donnent lieu en ce moment les expériences sur l'hypnotisme et la suggestion [2].

Il nous raconta longtemps les résultats prodigieux obtenus par des savants anglais et par les médecins de l'école de Nancy [3].

---

1. Allusion à la situation politique agitée.
2. Voir note 1, p. 11.
3. Cette école pratiquait un « petit hypnotisme », moins spec-

Les faits qu'il avança me parurent tellement bizarres, que je me déclarai tout à fait incrédule.

« Nous sommes, affirmait-il, sur le point de découvrir un des plus importants secrets de la nature, je veux dire, un de ses plus importants secrets sur cette terre ; car elle en a certes d'autrement importants, là-bas, dans les étoiles. Depuis que l'homme pense, depuis qu'il sait dire et écrire sa pensée, il se sent frôlé par un mystère impénétrable pour ses sens grossiers et imparfaits, et il tâche de suppléer, par l'effort de son intelligence, à l'impuissance de ses organes. Quand cette intelligence demeurait encore à l'état rudimentaire, cette hantise des phénomènes invisibles a pris des formes banalement effrayantes. De là sont nées les croyances populaires au surnaturel, les légendes des esprits rôdeurs, des fées, des gnomes, des revenants, je dirai même la légende de Dieu, car nos conceptions de l'ouvrier-créateur, de quelque religion qu'elles nous viennent, sont bien les inventions les plus médiocres, les plus stupides, les plus inacceptables sorties du cerveau apeuré des créatures. Rien de plus vrai que cette parole de Voltaire : "Dieu a fait l'homme à son image, mais l'homme le lui a bien rendu[1]."

« Mais, depuis un peu plus d'un siècle, on semble pressentir quelque chose de nouveau. Mesmer[2] et quelques autres nous ont mis sur une voie inattendue, et nous sommes arrivés vraiment, depuis quatre ou cinq ans surtout, à des résultats surprenants. »

---

taculaire que celui, théâtral, de la Salpêtrière, où exerçait Charcot.
1. Citation extraite du *Sottisier* (XXXII).
2. Voir note 1, p. 11.

Ma cousine, très incrédule aussi, souriait. Le docteur Parent lui dit : « Voulez-vous que j'essaie de vous endormir, madame ?

— Oui, je veux bien. »

Elle s'assit dans un fauteuil et il commença à la regarder fixement en la fascinant. Moi, je me sentis soudain un peu troublé, le cœur battant, la gorge serrée. Je voyais les yeux de Mme Sablé s'alourdir, sa bouche se crisper, sa poitrine haleter.

Au bout de dix minutes, elle dormait.

« Mettez-vous derrière elle », dit le médecin.

Et je m'assis derrière elle. Il lui plaça entre les mains une carte de visite en lui disant : « Ceci est un miroir ; que voyez-vous dedans ? »

Elle répondit :

« Je vois mon cousin.

— Que fait-il ?

— Il se tord la moustache.

— Et maintenant ?

— Il tire de sa poche une photographie.

— Quelle est cette photographie ?

— La sienne. »

C'était vrai ! Et cette photographie venait de m'être livrée, le soir même, à l'hôtel.

« Comment est-il sur ce portrait ?

— Il se tient debout avec son chapeau à la main. »

Donc elle voyait dans cette carte, dans ce carton blanc, comme elle eût vu dans une glace.

Les jeunes femmes, épouvantées, disaient : « Assez ! Assez ! Assez ! »

Mais le docteur ordonna : « Vous vous lèverez demain à huit heures ; puis vous irez trouver à son hôtel votre cousin, et vous le supplierez de vous prêter cinq mille francs que votre mari vous demande et qu'il vous réclamera à son prochain voyage.»

Puis il la réveilla.

En rentrant à l'hôtel, je songeais à cette curieuse séance et des doutes m'assaillirent, non point sur l'absolue, sur l'insoupçonnable bonne foi de ma cousine, que je connaissais comme une sœur, depuis l'enfance, mais sur une supercherie possible du docteur. Ne dissimulait-il pas dans sa main une glace qu'il montrait à la jeune femme endormie, en même temps que sa carte de visite? Les prestidigitateurs de profession font des choses autrement singulières.

Je rentrai donc et je me couchai.

Or, ce matin, vers huit heures et demie, je fus réveillé par mon valet de chambre, qui me dit:

«C'est Mme Sablé qui demande à parler à monsieur tout de suite.»

Je m'habillai à la hâte et je la reçus.

Elle s'assit fort troublée, les yeux baissés, et, sans lever son voile, elle me dit:

«Mon cher cousin, j'ai un gros service à vous demander.

— Lequel, ma cousine?

— Cela me gêne beaucoup de vous le dire, et pourtant, il le faut. J'ai besoin, absolument besoin, de cinq mille francs,

— Allons donc, vous?

— Oui, moi, ou plutôt mon mari, qui me charge de les trouver.»

J'étais tellement stupéfait, que je balbutiais mes réponses. Je me demandais si vraiment elle ne s'était pas moquée de moi avec le docteur Parent, si ce n'était pas là une simple farce préparée d'avance et fort bien jouée.

Mais, en la regardant avec attention, tous mes doutes se dissipèrent. Elle tremblait d'angoisse, tant cette démarche lui était douloureuse, et je compris qu'elle avait la gorge pleine de sanglots.

Je la savais fort riche et je repris :

« Comment ! Votre mari n'a pas cinq mille francs à sa disposition ! Voyons, réfléchissez. Êtes-vous sûre qu'il vous a chargée de me les demander ? »

Elle hésita quelques secondes comme si elle eût fait un grand effort pour chercher dans son souvenir, puis elle répondit :

« Oui..., oui... j'en suis sûre.

— Il vous a écrit ? »

Elle hésita encore, réfléchissant. Je devinai le travail torturant de sa pensée. Elle ne savait pas. Elle savait seulement qu'elle devait m'emprunter cinq mille francs pour son mari. Donc elle osa mentir.

« Oui, il m'a écrit.

— Quand donc ? Vous ne m'avez parlé de rien, hier.

— J'ai reçu sa lettre ce matin.

— Pouvez-vous me la montrer ?

— Non... non... non... elle contenait des choses intimes... trop personnelles... je l'ai... je l'ai brûlée.

— Alors, c'est que votre mari fait des dettes. »

Elle hésita encore, puis murmura :

« Je ne sais pas. »

Je déclarai brusquement :

« C'est que je ne puis disposer de cinq mille francs en ce moment, ma chère cousine. »

Elle poussa une sorte de cri de souffrance.

« Oh ! oh ! je vous en prie, je vous en prie, trouvez-les... »

Elle s'exaltait, joignait les mains comme si elle m'eût prié ! J'entendais sa voix changer de ton ; elle pleurait et bégayait, harcelée, dominée par l'ordre irrésistible qu'elle avait reçu.

« Oh ! oh ! je vous en supplie... si vous saviez comme je souffre... il me les faut aujourd'hui. »

J'eus pitié d'elle.

« Vous les aurez tantôt, je vous le jure. »

Elle s'écria :

« Oh ! merci ! merci ! Que vous êtes bon. »

Je repris : « Vous rappelez-vous ce qui s'est passé hier chez vous ?

— Oui.

— Vous rappelez-vous que le docteur Parent vous a endormie ?

— Oui.

— Eh bien, il vous a ordonné de venir m'emprunter ce matin cinq mille francs, et vous obéissez en ce moment à cette suggestion. »

Elle réfléchit quelques secondes et répondit :

« Puisque c'est mon mari qui les demande. »

Pendant une heure, j'essayai de la convaincre, mais je n'y pus parvenir.

Quand elle fut partie, je courus chez le docteur. Il allait sortir ; et il m'écouta en souriant. Puis il dit :

« Croyez-vous maintenant ?

— Oui, il le faut bien.

— Allons chez votre parente. »

Elle sommeillait déjà sur une chaise longue, accablée de fatigue. Le médecin lui prit le pouls, la regarda quelque temps, une main levée vers ses yeux qu'elle ferma peu à peu sous l'effort insoutenable de cette puissance magnétique.

Quand elle fut endormie :

«Votre mari n'a plus besoin de cinq mille francs. Vous allez donc oublier que vous avez prié votre cousin de vous les prêter, et, s'il vous parle de cela, vous ne comprendrez pas.»

Puis il la réveilla. Je tirai de ma poche un portefeuille :

«Voici, ma chère cousine, ce que vous m'avez demandé ce matin.»

Elle fut tellement surprise que je n'osai pas insister. J'essayai cependant de ranimer sa mémoire, mais elle nia avec force, crut que je me moquais d'elle, et faillit, à la fin, se fâcher.

. . . .

Voilà ! Je viens de rentrer ; et je n'ai pu déjeuner, tant cette expérience m'a bouleversé.

19 juillet. — Beaucoup de personnes à qui j'ai raconté cette aventure se sont moquées de moi. Je ne sais plus que penser. Le sage dit : Peut-être ?

21 juillet. — J'ai été dîner à Bougival, puis j'ai passé la soirée au bal des canotiers. Décidément, tout dépend des lieux et des milieux. Croire au surnaturel dans l'île de la Grenouillère[1], serait le comble de la

_____

1. Bougival et l'île de la Grenouillère étaient des lieux de villégiature et de détente.

folie… mais au sommet du mont Saint-Michel ?… mais dans les Indes ? Nous subissons effroyablement l'influence de ce qui nous entoure. Je rentrerai chez moi la semaine prochaine.

30 juillet. — Je suis revenu dans ma maison depuis hier. Tout va bien.

2 août. — Rien de nouveau ; il fait un temps superbe. Je passe mes journées à regarder couler la Seine.

4 août. — Querelles parmi mes domestiques. Ils prétendent qu'on casse les verres, la nuit, dans les armoires. Le valet de chambre accuse la cuisinière, qui accuse la lingère, qui accuse les deux autres. Quel est le coupable ? Bien fin qui le dirait ?

6 août. — Cette fois, je ne suis pas fou. J'ai vu… j'ai vu… j'ai vu !… Je ne puis plus douter… j'ai vu !… J'ai encore froid jusque dans les ongles… j'ai encore peur jusque dans les moelles… j'ai vu !…

Je me promenais à deux heures, en plein soleil, dans mon parterre de rosiers… dans l'allée des rosiers d'automne qui commencent à fleurir.

Comme je m'arrêtais à regarder un *géant des batailles*, qui portait trois fleurs magnifiques, je vis, je vis distinctement, tout près de moi, la tige d'une de ces roses se plier, comme si une main invisible l'eût tordue, puis se casser, comme si cette main l'eût cueillie ! Puis la fleur s'éleva, suivant la courbe qu'au-rait décrite un bras en la portant vers une bouche, et elle resta suspendue dans l'air transparent, toute seule, immobile, effrayante tache rouge à trois pas de mes yeux.

Éperdu, je me jetai sur elle pour la saisir ! Je ne trouvai rien ; elle avait disparu. Alors je fus pris d'une colère furieuse contre moi-même ; car il n'est pas permis à un homme raisonnable et sérieux d'avoir de pareilles hallucinations.

Mais était-ce bien une hallucination ? Je me retournai pour chercher la tige, et je la retrouvai immédiatement sur l'arbuste, fraîchement brisée, entre les deux autres roses demeurées à la branche.

Alors, je rentrai chez moi l'âme bouleversée ; car je suis certain, maintenant, certain comme de l'alternance des jours et des nuits, qu'il existe près de moi un être invisible, qui se nourrit de lait et d'eau, qui peut toucher aux choses, les prendre et les changer de place, doué par conséquent d'une nature matérielle, bien qu'imperceptible pour nos sens, et qui habite comme moi, sous mon toit...

7 août. — J'ai dormi tranquille. Il a bu l'eau de ma carafe, mais n'a point troublé mon sommeil.

Je me demande si je suis fou. En me promenant, tantôt au grand soleil, le long de la rivière, des doutes me sont venus sur ma raison, non point des doutes vagues comme j'en avais jusqu'ici, mais des doutes précis, absolus. J'ai vu des fous ; j'en ai connu qui restaient intelligents, lucides, clairvoyants même sur toutes les choses de la vie, sauf sur un point. Ils parlaient de tout avec clarté, avec souplesse, avec profondeur, et soudain leur pensée, touchant l'écueil de leur folie, s'y déchirait en pièces, s'éparpillait et sombrait dans cet océan effrayant et furieux, plein de vagues bondissantes, de brouillards, de bourrasques, qu'on nomme « la démence ».

Certes, je me croirais fou, absolument fou, si je n'étais conscient, si je ne connaissais parfaitement mon état, si je ne le sondais en l'analysant avec une complète lucidité. Je ne serais donc, en somme, qu'un halluciné raisonnant. Un trouble inconnu se serait produit dans mon cerveau, un de ces troubles qu'essaient de noter et de préciser aujourd'hui les physiologistes[1] ; et ce trouble aurait déterminé dans mon esprit, dans l'ordre et la logique de mes idées, une crevasse profonde. Des phénomènes semblables ont lieu dans le rêve qui nous promène à travers les fantasmagories[2] les plus invraisemblables, sans que nous en soyons surpris, parce que l'appareil vérificateur, parce que le sens du contrôle est endormi ; tandis que la faculté imaginative veille et travaille. Ne se peut-il pas qu'une des imperceptibles touches du clavier cérébral se trouve paralysée chez moi ? Des hommes, à la suite d'accidents, perdent la mémoire des noms propres ou des verbes ou des chiffres, ou seulement des dates. Les localisations de toutes les parcelles de la pensée sont aujourd'hui prouvées. Or, quoi d'étonnant à ce que ma faculté de contrôler l'irréalité de certaines hallucinations, se trouve engourdie chez moi en ce moment !

Je songeais à tout cela en suivant le bord de l'eau.

---

1. Spécialiste du fonctionnement de l'organisme humain.
2. Représentations imaginaires et illusoires.

Le soleil couvrait de clarté la rivière, faisait la terre délicieuse, emplissait mon regard d'amour pour la vie, pour les hirondelles, dont l'agilité est une joie de mes yeux, pour les herbes de la rive, dont le frémissement est un bonheur de mes oreilles.

Peu à peu, cependant, un malaise inexplicable me pénétrait. Une force, me semblait-il, une force occulte m'engourdissait, m'arrêtait, m'empêchait d'aller plus loin, me rappelait en arrière. J'éprouvais ce besoin douloureux de rentrer qui vous oppresse, quand on a laissé au logis un malade aimé, et que le pressentiment vous saisit d'une aggravation de son mal.

Donc, je revins malgré moi, sûr que j'allais trouver, dans ma maison, une mauvaise nouvelle, une lettre ou une dépêche. Il n'y avait rien ; et je demeurai plus surpris et plus inquiet que si j'avais eu de nouveau quelque vision fantastique.

8 août. — J'ai passé hier une affreuse soirée. Il ne se manifeste plus, mais je le sens près de moi, m'épiant, me regardant, me pénétrant, me dominant et plus redoutable, en se cachant ainsi, que s'il signalait par des phénomènes surnaturels sa présence invisible et constante.

J'ai dormi, pourtant.

9 août. — Rien, mais j'ai peur.

10 août. — Rien ; qu'arrivera-t-il demain ?

11 août. — Toujours rien ; je ne puis plus rester chez moi avec cette crainte et cette pensée entrées en mon âme ; je vais partir.

12 août, 10 heures du soir. — Tout le jour j'ai voulu m'en aller ; je n'ai pas pu. J'ai voulu accomplir cet acte de liberté si facile, si simple, — sortir — monter dans ma voiture pour gagner Rouen — je n'ai pas pu. Pourquoi ?

13 août. — Quand on est atteint par certaines maladies, tous les ressorts de l'être physique semblent brisés, toutes les énergies anéanties, tous les muscles relâchés, les os devenus mous comme la chair et la chair liquide comme de l'eau. J'éprouve cela dans mon être moral d'une façon étrange et désolante. Je n'ai plus aucune force, aucun courage, aucune domination sur moi, aucun pouvoir même de mettre en mouvement ma volonté. Je ne peux plus vouloir ; mais quelqu'un veut pour moi ; et j'obéis.

14 août. — Je suis perdu ! Quelqu'un possède mon âme et la gouverne ! quelqu'un ordonne tous mes actes, tous mes mouvements, toutes mes pensées. Je ne suis plus rien en moi, rien qu'un spectateur esclave et terrifié de toutes les choses que j'accomplis. Je désire sortir. Je ne peux pas. Il ne veut pas ; et je reste, éperdu, tremblant, dans le fauteuil où il me tient assis. Je désire seulement me lever, me soulever, afin de me croire maître de moi. Je ne peux pas ! Je suis rivé à mon siège ; et mon siège adhère au sol, de telle sorte qu'aucune force ne nous soulèverait.

Puis, tout d'un coup, il faut, il faut, il faut que j'aille au fond de mon jardin cueillir des fraises et les man-

ger. Et j'y vais. Je cueille des fraises et je les mange!
Oh! mon Dieu! Mon Dieu! Mon Dieu! Est-il un
Dieu? S'il en est un, délivrez-moi, sauvez-moi! secou-
rez-moi! Pardon! Pitié! Grâce! Sauvez-moi! Oh!
quelle souffrance! quelle torture! quelle horreur!

15 août. — Certes, voilà comment était possédée
et dominée ma pauvre cousine, quand elle est venue
m'emprunter cinq mille francs. Elle subissait un vouloir étranger entré en elle, comme une autre âme,
comme une autre âme parasite et dominatrice. Est-ce
que le monde va finir?

Mais celui qui me gouverne, quel est-il, cet invisible? cet inconnaissable, ce rôdeur d'une race surnaturelle?

Donc les Invisibles existent! Alors, comment
depuis l'origine du monde ne se sont-ils pas encore
manifestés d'une façon précise comme ils le font
pour moi? Je n'ai jamais rien lu qui ressemble à ce qui
s'est passé dans ma demeure. Oh! si je pouvais la
quitter, si je pouvais m'en aller, fuir et ne pas revenir.
Je serais sauvé, mais je ne peux pas.

16 août. — J'ai pu m'échapper aujourd'hui pendant deux heures, comme un prisonnier qui trouve
ouverte, par hasard, la porte de son cachot. J'ai senti
que j'étais libre tout à coup et qu'il était loin. J'ai
ordonné d'atteler bien vite et j'ai gagné Rouen. Oh!
quelle joie de pouvoir dire à un homme qui obéit:
« Allez à Rouen! »

Je me suis fait arrêter devant la bibliothèque et
j'ai prié qu'on me prêtât le grand traité du docteur

Hermann Herestauss[1] sur les habitants inconnus du monde antique et moderne.

Puis, au moment de remonter dans mon coupé, j'ai voulu dire : « À la gare ! » et j'ai crié, — je n'ai pas dit, j'ai crié — d'une voix si forte que les passants se sont retournés : « À la maison », et je suis tombé, affolé d'angoisse, sur le coussin de ma voiture. Il m'avait retrouvé et repris.

17 août. — Ah ! Quelle nuit ! quelle nuit ! Et pourtant il me semble que je devrais me réjouir. Jusqu'à une heure du matin, j'ai lu ! Hermann Herestauss, docteur en philosophie et en théogonie[2], a écrit l'histoire et les manifestations de tous les êtres invisibles rôdant autour de l'homme ou rêvés par lui. Il décrit leurs origines, leur domaine, leur puissance. Mais aucun d'eux ne ressemble à celui qui me hante. On dirait que l'homme, depuis qu'il pense, a pressenti et redouté un être nouveau, plus fort que lui, son successeur en ce monde, et que, le sentant proche et ne pouvant prévoir la nature de ce maître, il a créé, dans sa terreur, tout le peuple fantastique des êtres occultes, fantômes vagues nés de la peur.

Donc, ayant lu jusqu'à une heure du matin, j'ai été m'asseoir ensuite auprès de ma fenêtre ouverte pour rafraîchir mon front et ma pensée au vent calme de l'obscurité.

Il faisait bon, il faisait tiède ! Comme j'aurais aimé cette nuit-là autrefois !

---

1. Nom fictif, qui pourrait être interprété comme une variation allemande du « Horla » (*Her*[r] : monsieur ; *aus* : dehors).
2. Étude de la naissance et de l'origine des dieux.

Pas de lune. Les étoiles avaient au fond du ciel noir des scintillements frémissants. Qui habite ces mondes? Quelles formes, quels vivants, quels animaux, quelles plantes sont là-bas? Ceux qui pensent dans ces univers lointains, que savent-ils plus que nous? Que peuvent-ils plus que nous? Que voient-ils que nous ne connaissons point? Un d'eux, un jour ou l'autre, traversant l'espace, n'apparaîtra-t-il pas sur notre terre pour la conquérir, comme les Normands jadis traversaient la mer pour asservir des peuples plus faibles?

Nous sommes si infirmes, si désarmés, si ignorants, si petits, nous autres, sur ce grain de boue qui tourne délayé dans une goutte d'eau.

Je m'assoupis en rêvant ainsi au vent frais du soir.

Or, ayant dormi environ quarante minutes, je rouvris les yeux sans faire un mouvement, réveillé par je ne sais quelle émotion confuse et bizarre. Je ne vis rien d'abord, puis, tout à coup, il me sembla qu'une page du livre resté ouvert sur ma table venait de tourner toute seule. Aucun souffle d'air n'était entré par ma fenêtre. Je fus surpris et j'attendis. Au bout de quatre minutes environ, je vis, je vis, oui, je vis de mes yeux une autre page se soulever et se rabattre sur la précédente, comme si un doigt l'eût feuilletée. Mon fauteuil était vide, semblait vide; mais je compris qu'il était là, lui, assis à ma place, et qu'il lisait. D'un bond furieux, d'un bond de bête révoltée, qui va éventrer son dompteur, je traversai ma chambre pour le saisir, pour l'étreindre, pour le tuer!... Mais mon siège, avant que je l'eusse atteint, se renversa comme si on eût fui devant moi... ma table oscilla, ma lampe tomba et s'éteignit, et ma fenêtre se ferma comme si un malfaiteur surpris se fût élancé dans la nuit, en prenant à pleines mains les battants.

Donc, il s'était sauvé; il avait eu peur, peur de moi, lui!

Alors... alors... demain... ou après... ou un jour quelconque, je pourrai donc le tenir sous mes poings, et l'écraser contre le sol! Est-ce que les chiens, quelquefois, ne mordent point et n'étranglent pas leurs maîtres?

18 août. — J'ai songé toute la journée. Oh! oui, je vais lui obéir, suivre ses impulsions, accomplir toutes ses volontés, me faire humble, soumis, lâche. Il est le plus fort. Mais une heure viendra...

19 août. — Je sais... je sais... je sais tout! Je viens de lire ceci dans la *Revue du Monde scientifique*: «Une nouvelle assez curieuse nous arrive de Rio de Janeiro. Une folie, une épidémie de folie, comparable aux démences contagieuses qui atteignirent les peuples d'Europe au moyen âge, sévit en ce moment dans la province de San-Paulo. Les habitants éperdus quittent leurs maisons, désertent leurs villages, abandonnent leurs cultures, se disant poursuivis, possédés, gouvernés comme un bétail humain par des êtres invisibles bien que tangibles, des sortes de vampires qui se nourrissent de leur vie, pendant leur sommeil, et qui boivent en outre de l'eau et du lait sans paraître toucher à aucun autre aliment.

«M. le professeur Don Pedro Henriquez, accompagné de plusieurs savants médecins, est parti pour la province de San-Paulo, afin d'étudier sur place les

origines et les manifestations de cette surprenante
folie, et de proposer à l'Empereur les mesures qui lui
paraîtront les plus propres à rappeler à la raison ces
populations en délire[1]. »

Ah ! Ah ! je me rappelle, je me rappelle le beau
trois-mâts brésilien qui passa sous mes fenêtres en
remontant la Seine, le 8 mai dernier ! Je le trouvai si
joli, si blanc, si gai ! L'Être était dessus, venant de là-
bas, où sa race est née ! Et il m'a vu ! Il a vu ma
demeure blanche aussi ; et il a sauté du navire sur la
rive. Oh ! mon Dieu !

À présent, je sais, je devine. Le règne de l'homme
est fini.

Il est venu, Celui que redoutaient les premières
terreurs des peuples naïfs, Celui qu'exorcisaient les
prêtres inquiets, que les sorciers évoquaient par les
nuits sombres, sans le voir apparaître encore, à qui
les pressentiments des maîtres passagers du monde
prêtèrent toutes les formes monstrueuses ou gra-
cieuses des gnomes, des esprits, des génies, des fées,
des farfadets[2]. Après les grossières conceptions de
l'épouvante primitive, des hommes plus perspicaces
l'ont pressenti plus clairement. Mesmer l'avait deviné
et les médecins, depuis dix ans déjà, ont découvert,
d'une façon précise, la nature de sa puissance avant
qu'il l'eût exercée lui-même. Ils ont joué avec cette
arme du Seigneur nouveau, la domination d'un mystérieux vouloir sur l'âme humaine, devenue esclave.
Ils ont appelé cela magnétisme, hypnotisme, sugges-

---

1. Voir note 1, p. 29.
2. Lutins.

tion… que sais-je ? Je les ai vus s'amuser comme des enfants imprudents avec cette horrible puissance ! Malheur à nous ! Malheur à l'homme ! Il est venu, le… le… comment se nomme-t-il… le… il semble qu'il me crie son nom, et je ne l'entends pas… le… oui… il le crie… J'écoute… je ne peux pas… répète… le… Horla… J'ai entendu… le Horla… c'est lui… le Horla… il est venu !…

Ah ! le vautour a mangé la colombe ; le loup a mangé le mouton ; le lion a dévoré le buffle aux cornes aiguës ; l'homme a tué le lion avec la flèche, avec le glaive, avec la poudre ; mais le Horla va faire de l'homme ce que nous avons fait du cheval et du bœuf : sa chose, son serviteur et sa nourriture, par la seule puissance de sa volonté. Malheur à nous !

Pourtant, l'animal, quelquefois, se révolte et tue celui qui l'a dompté… moi aussi je veux… je pourrai… mais il faut le connaître, le toucher, le voir ! Les savants disent que l'œil de la bête, différent du nôtre, ne distingue point comme le nôtre… Et mon œil à moi ne peut distinguer le nouveau venu qui m'opprime.

Pourquoi ? Oh ! je me rappelle à présent les paroles du moine du mont Saint-Michel : « Est-ce que nous voyons la cent millième partie de ce qui existe ? Tenez, voici le vent qui est la plus grande force de la nature, qui renverse les hommes, abat les édifices, déracine les arbres, soulève la mer en montagnes d'eau, détruit les falaises et jette aux brisants[1] les grands navires, le vent qui tue, qui siffle, qui gémit, qui

---

1. Récifs, écueils.

mugit, l'avez-vous vu et pouvez-vous le voir : il existe pourtant ! »

Et je songeais encore : mon œil est si faible, si imparfait, qu'il ne distingue même point les corps durs, s'ils sont transparents comme le verre !… Qu'une glace sans tain barre mon chemin, il me jette dessus comme l'oiseau entré dans une chambre se casse la tête aux vitres. Mille choses en outre le trompent et l'égarent ? Quoi d'étonnant, alors, à ce qu'il ne sache point apercevoir un corps nouveau que la lumière traverse.

Un être nouveau ! pourquoi pas ? Il devait venir assurément ! pourquoi serions-nous les derniers ! Nous ne le distinguons point, ainsi que tous les autres créés avant nous ? C'est que sa nature est plus parfaite, son corps plus fin et plus fini que le nôtre, que le nôtre si faible, si maladroitement conçu, encombré d'organes toujours fatigués, toujours forcés comme des ressorts trop complexes, que le nôtre, qui vit comme une plante et comme une bête, en se nourrissant péniblement d'air, d'herbe et de viande, machine animale en proie aux maladies, aux déformations, aux putréfactions, poussive, mal réglée, naïve et bizarre, ingénieusement mal faite, œuvre grossière et délicate, ébauche d'être qui pourrait devenir intelligent et superbe.

Nous sommes quelques-uns, si peu sur ce monde, depuis l'huître jusqu'à l'homme. Pourquoi pas un de plus, une fois accomplie la période qui sépare les apparitions successives de toutes les espèces diverses ?

Pourquoi pas un de plus ? Pourquoi pas aussi d'autres arbres aux fleurs immenses, éclatantes et parfumant des régions entières ? Pourquoi pas d'autres éléments que le feu, l'air, la terre et l'eau ? — Ils sont quatre, rien que quatre, ces pères nourriciers des êtres ! Quelle pitié ! Pourquoi ne sont-ils pas quarante, quatre cents, quatre mille ! Comme tout est pauvre, mesquin, misérable ! avarement donné, sèchement inventé, lourdement fait ! Ah ! l'éléphant, l'hippopotame, que de grâce ! Le chameau, que d'élégance !

Mais direz-vous, le papillon ! une fleur qui vole ! J'en rêve un qui serait grand comme cent univers, avec des ailes dont je ne puis même exprimer la forme, la beauté, la couleur et le mouvement. Mais je le vois… il va d'étoile en étoile, les rafraîchissant et les embaumant au souffle harmonieux et léger de sa course !… Et les peuples de là-haut le regardent passer, extasiés et ravis !…

. . . .

Qu'ai-je donc ? C'est lui, lui, le Horla, qui me hante, qui me fait penser ces folies ! Il est en moi, il devient mon âme ; je le tuerai !

19 août. — Je le tuerai. Je l'ai vu ! je me suis assis hier soir, à ma table ; et je fis semblant d'écrire avec une grande attention. Je savais bien qu'il viendrait rôder autour de moi, tout près, si près que je pourrais peut-être le toucher, le saisir ? Et alors !… alors, j'aurais la force des désespérés ; j'aurais mes mains, mes genoux, ma poitrine, mon front, mes dents pour l'étrangler, l'écraser, le mordre, le déchirer.

---

1. Le journal porte deux fois la même date. Inadvertance de l'auteur, effet d'insistance, ou manifestation de la folie du narrateur ?

Et je le guettais avec tous mes organes surexcités. J'avais allumé mes deux lampes et les huit bougies de ma cheminée, comme si j'eusse pu, dans cette clarté, le découvrir.

En face de moi, mon lit, un vieux lit de chêne à colonnes ; à droite, ma cheminée ; à gauche, ma porte fermée avec soin, après l'avoir laissée longtemps ouverte, afin de l'attirer ; derrière moi, une très haute armoire à glace, qui me servait chaque jour pour me raser, pour m'habiller, et où j'avais coutume de me regarder, de la tête aux pieds, chaque fois que je passais devant.

Donc, je faisais semblant d'écrire, pour le tromper, car il m'épiait lui aussi ; et soudain, je sentis, je fus certain qu'il lisait par-dessus mon épaule, qu'il était là, frôlant mon oreille.

Je me dressai, les mains tendues, en me tournant si vite que je faillis tomber. Et bien ?... on y voyait comme en plein jour, et je ne me vis pas dans ma glace !... Elle était vide, claire, profonde, pleine de lumière ! Mon image n'était pas dedans... et j'étais en face, moi ! Je voyais le grand verre limpide du haut en bas. Et je regardais cela avec des yeux affolés ; et je n'osais plus avancer, je n'osais plus faire un mouvement, sentant bien pourtant qu'il était là, mais qu'il m'échapperait encore, lui dont le corps imperceptible avait dévoré mon reflet.

Comme j'eus peur ! Puis voilà que tout à coup je commençai à m'apercevoir dans une brume, au fond du miroir, dans une brume comme à travers une nappe d'eau, et il me semblait que cette eau glissait de gauche à droite, lentement, rendant plus précise mon image, de seconde en seconde. C'était comme la fin d'une éclipse. Ce qui me cachait ne paraissait point posséder de contours nettement arrêtés, mais une sorte de transparence opaque, s'éclaircissant peu à peu.

Je pus enfin me distinguer complètement, ainsi que je le fais chaque jour en me regardant.

Je l'avais vu! L'épouvante m'en est restée, qui me fait encore frissonner.

20 août. — Le tuer, comment? puisque je ne peux l'atteindre? Le poison? mais il me verrait le mêler à l'eau; et nos poisons, d'ailleurs, auraient-ils un effet sur son corps imperceptible? Non... non... sans aucun doute... Alors?... alors?...

21 août. — J'ai fait venir un serrurier de Rouen, et lui ai commandé pour ma chambre des persiennes de fer[1], comme en ont, à Paris, certains hôtels particuliers, au rez-de-chaussée, par crainte des voleurs. Il me fera, en outre, une porte pareille. Je me suis donné pour un poltron, mais je m'en moque!...

. . . .

10 septembre. — Rouen, hôtel Continental. C'est fait... c'est fait... mais est-il mort? J'ai l'âme bouleversée de ce que j'ai vu.

Hier donc, le serrurier ayant posé ma persienne et ma porte de fer, j'ai laissé tout ouvert jusqu'à minuit, bien qu'il commençât à faire froid.

---

1. Panneaux métalliques articulés qui servent à protéger une fenêtre du soleil et de la pluie tout en permettant à l'air de passer.

Tout à coup, j'ai senti qu'il était là, et une joie, une joie folle m'a saisi. Je me suis levé lentement, et j'ai marché à droite, à gauche, longtemps pour qu'il ne devinât rien ; puis j'ai ôté mes bottines et mis mes savates avec négligence ; puis j'ai fermé ma persienne de fer, et revenant à pas tranquilles vers la porte, j'ai fermé la porte aussi à double tour. Retournant alors vers la fenêtre, je la fixai par un cadenas, dont je mis la clef dans ma poche.

Tout à coup, je compris qu'il s'agitait autour de moi, qu'il avait peur à son tour, qu'il m'ordonnait de lui ouvrir. Je faillis céder ; je ne cédai pas, mais m'adossant à la porte, je l'entrebâillai, tout juste assez pour passer, moi, à reculons ; et comme je suis très grand ma tête touchait au linteau[1]. J'étais sûr qu'il n'avait pu s'échapper et je l'enfermai, tout seul, tout seul. Quelle joie ! Je le tenais ! Alors, je descendis, en courant ; je pris dans mon salon, sous ma chambre, mes deux lampes et je renversai toute l'huile sur le tapis, sur les meubles, partout ; puis j'y mis le feu, et je me sauvai, après avoir bien refermé, à double tour, la grande porte d'entrée.

Et j'allai me cacher au fond de mon jardin, dans un massif de lauriers. Comme ce fut long ! comme ce fut long ! Tout était noir, muet, immobile ; pas un souffle d'air, pas une étoile, des montagnes de nuages qu'on ne voyait point, mais qui pesaient sur mon âme si lourds, si lourds.

Je regardais ma maison, et j'attendais. Comme ce fut long ! Je croyais déjà que le feu s'était éteint tout

---

1. Partie supérieure du chambranle de la porte.

seul, ou qu'il l'avait éteint, Lui, quand une des fenêtres d'en bas creva sous la poussée de l'incendie, et une flamme, une grande flamme rouge et jaune, longue, molle, caressante, monta le long du mur blanc et le baisa jusqu'au toit. Une lueur courut dans les arbres, dans les branches, dans les feuilles, et un frisson, un frisson de peur aussi. Les oiseaux se réveillaient; un chien se mit à hurler; il me sembla que le jour se levait! Deux autres fenêtres éclatèrent aussitôt, et je vis que tout le bas de ma demeure n'était plus qu'un effrayant brasier. Mais un cri, un cri horrible, suraigu, déchirant, un cri de femme passa dans la nuit, et deux mansardes s'ouvrirent! J'avais oublié mes domestiques! Je vis leurs faces affolées, et leurs bras qui s'agitaient!...

Alors, éperdu d'horreur, je me mis à courir vers le village en hurlant: «Au secours! au secours, au feu! au feu!» Je rencontrai des gens qui s'en venaient déjà et je retournai avec eux, pour voir!

La maison, maintenant, n'était plus qu'un bûcher horrible et magnifique, un bûcher monstrueux, éclairant toute la terre, un bûcher où brûlaient des hommes, et où il brûlait aussi, Lui, Lui, mon prisonnier, l'Être nouveau, le nouveau maître, le Horla!

Soudain le toit tout entier s'engloutit entre les murs, et un volcan de flammes jaillit jusqu'au ciel. Par toutes les fenêtres ouvertes sur la fournaise, je voyais la cuve de feu, et je pensais qu'il était là, dans ce four, mort...

«Mort? Peut-être?... Son corps? son corps que le jour traversait n'était-il pas indestructible par les moyens qui tuent les nôtres?

« S'il n'était pas mort ?... seul peut-être le temps a prise sur l'Être Invisible et Redoutable. Pourquoi ce corps transparent, ce corps inconnaissable, ce corps d'Esprit, s'il devait craindre, lui aussi, les maux, les blessures, les infirmités, la destruction prématurée ?

« La destruction prématurée ? toute l'épouvante humaine vient d'elle ! Après l'homme, le Horla. — Après celui qui peut mourir tous les jours, à toutes les heures, à toutes les minutes, par tous les accidents, est venu celui qui ne doit mourir qu'à son jour, à son heure, à sa minute, parce qu'il a touché la limite de son existence !

« Non... non... sans aucun doute, sans aucun doute... il n'est pas mort... Alors... alors... il va donc falloir que je me tue, moi !... »

. . . .

Du tableau

au texte

Du tableau au texte :

Autoportrait au miroir

de Léon Spilliaert

… une descente dans les profondeurs de l'être…

Trouver un équivalent plastique au *Horla* n'est pas une quête aisée. Pourtant, les visions qui se forment dans l'esprit du lecteur au fil du récit sont à la fois nombreuses et précises. Si le début de l'histoire, la journée du 8 mai, appelle l'atmosphère lumineuse et bucolique d'une vue de Seine de Monet, ami de Maupassant, le choix d'une œuvre impressionniste n'est pertinent que pour cette courte introduction, et s'avère inadéquat pour rendre compte de l'atmosphère générale du conte. Au fur et à mesure du récit, l'angoisse nous saisit, faisant naître des profondeurs de l'esprit des images-souvenirs, des associations visuelles avec ce que la peinture romantique a produit de plus noir, de plus inquiétant. Le 25 mai, le narrateur raconte : « … *je sens aussi que quelqu'un s'approche de moi, me regarde, me palpe, monte sur mon lit, s'agenouille sur ma poitrine, me prend le cou entre ses mains et serre… serre… de toute sa force pour m'étrangler.* » *Le Cauchemar* du peintre suisse Füssli (1741-1825), chef-d'œuvre du romantisme noir, peint en 1781, s'impose alors comme une évidente référence, une

illustration presque littérale du texte, peut-être justement trop littérale. L'être répugnant à la face de
gnome qui, dans ce tableau terrifiant, campe sur le
cou de la jeune fille, prêt à lui prendre son âme,
semble avoir quitté le rêve de l'artiste pour pénétrer
celui du romancier. Et l'analogie est telle que l'on
peut se demander si la peinture n'est pas là, source
de la nouvelle. Cette parenté de sujet qui confine à
l'identité conduit à écarter une telle œuvre. Trop
descriptive, focalisant sur un épisode très court et
presque anecdotique du récit (le cauchemar), la
peinture fonctionne à la manière d'une lampe,
éclairant un détail pour mieux laisser dans l'ombre
l'essentiel.

Car plus qu'un conte fantasmagorique mettant
en scène des visions cauchemardesques, *Le Horla*
raconte, avec la précision clinique d'une enquête,
l'introduction progressive de l'irrationnel dans un
univers jusque-là parfaitement cohérent et l'inter-
rogation angoissée d'un homme face à lui-même et
face au monde qu'il ne reconnaît plus. C'est un
autoportrait en mots, dans lequel l'auteur se livre
à la même introspection que l'artiste scrutant son
image dans le miroir. C'est le récit de l'effrayante
question du mystère qui nous entoure et du double
qui nous habite, cette partie de soi qui échappe au
contrôle, perceptible dans les moments de sommeil,
de somnambulisme ou d'hypnose. Seul un autoportrait, porteur des mêmes interrogations angoissées,
pouvait supporter la confrontation avec ce texte.
L'*Autoportrait au miroir* de Léon Spilliaert, daté de
1908 (Ostende, Museum voor Schone Kunsten) n'a
pourtant été créé ni à la même date ni dans le

même pays que le texte de Maupassant, mais le lien qui les unit est peut-être plus profond car il est intérieur. Ces deux œuvres empruntent, en effet, le chemin d'une descente dans les profondeurs de l'être, dans un univers où la science n'est plus la seule réponse.

… la légèreté d'un rêve…

Malgré les apparences, cette œuvre n'est pas un tableau au sens traditionnel du terme. C'est un dessin, sur papier, de grand format (48 × 63 cm). Pour donner corps à sa vision intérieure, l'artiste utilise une technique extrêmement sobre, qui mêle plusieurs procédés. C'est avec une encre de Chine très diluée et appliquée au pinceau, un lavis, que celui-ci bâtit les zones d'ombres de sa composition. Les gris, obtenus avec une encre très chargée d'eau, sont parfois légèrement teintés d'aquarelle et de gouache. Ainsi, quelques tonalités de rouge réchauffent la tristesse générale des coloris. Les blancs, qui organisent l'espace et le structurent, sont obtenus par des rehauts de gouache blanche et de pastel, donnant aux reflets de lumière un grain velouté, sans brutalité. Les objets dont les aspérités sont révélées par quelques touches blanchâtres, presque translucides, s'impriment dans l'œil du spectateur à la manière de fantômes, aperçus par inadvertance. Rien n'est consistant dans cet univers sans relief, conçu avec la légèreté d'un rêve.

… Et soudain, le visage du peintre…

La construction de l'image de Spilliaert nous plonge tout de suite dans un malaise extrême. Dans un intérieur très sombre, se dresse un miroir, surmonté d'une moulure ouvragée, qui occupe la presque totalité du mur. Autour, de part et d'autre, on devine deux cadres dont les peintures sont à jamais prisonnières de l'obscurité. L'amorce de rectangle, bordé de deux bandes claires, en haut à droite, suggère la corniche du plafond que l'on retrouve au-dessus du cadre. Quelques objets, une aiguière, une pendule, sont à peine esquissés de quelques traits de lumière et trouent la densité de l'ombre. Et soudain, le visage du peintre, aux yeux exorbités, au visage creusé, émacié, surgit dans cet univers étrange sans que l'on comprenne vraiment s'il nous regarde ou si c'est seulement son reflet qui nous fait face. Car l'homme n'est pas dans le miroir, mais devant, la pendule se trouvant derrière lui. Seule l'aiguière, que l'on imagine posée sur un rebord, est accompagnée de son reflet. Rien n'est logique ni cohérent dans cet espace. On ne sait plus où l'on est ni qui est là, face à nous. La vision en contre-plongée, qui donne au visage cette angoissante déformation, allongeant la tête ; la lumière blafarde qui accentue les contrastes et gomme l'identité du modèle, creusant les orbites au point de rendre le crâne visible sous la peau : tout concourt à accentuer le trouble. Ce n'est plus un visage qui nous regarde, mais déjà un spectre. À moins que cette expression d'horreur sur les traits du peintre ne résulte du fait qu'il ne lit pas son reflet dans la glace !

... Cet effrayant jeu de miroir...

Cet effrayant jeu de miroir, où toutes nos certitudes de perceptions sont remises en cause, n'est-il pas le sujet principal du conte de Maupassant ? La scène qui donne tout son sens à l'histoire, présente dans les deux versions du *Horla*, et dont la préfiguration se trouve dans la *Lettre d'un fou* (1885), ne met-elle pas le narrateur face à l'angoissante perte de son reflet ? « *Mon image n'était pas dedans... et j'étais en face, moi ! Je voyais le grand verre limpide du haut en bas. Et je regardais cela avec des yeux affolés.* » Avec une économie de moyens étonnante, quelques taches de gris et de blanc soigneusement agencées, Spilliaert nous conduit aux frontières de l'étrange, loin de l'ordre naturel des choses. Maupassant, usant d'un langage d'une égale concision, nous entraîne dans un univers tout en demi-teintes, où dominent l'ombre et l'imprécision des formes. Il parle, pour décrire la réapparition de son reflet, de « *brume [...] à travers une nappe d'eau* ». Un peu plus loin : « *Ce qui me cachait ne paraissait point posséder de contours nettement arrêtés, mais une sorte de transparence opaque, s'éclaircissant peu à peu.* »

... le moi, inquiet...

L'artiste et l'écrivain explorent tous deux, à quelques années de distance, cette question centrale de la littérature et de la peinture symbolistes : le moi, inquiet, tourmenté par l'angoisse du vide, de la folie et de la mort. Écrivain naturaliste pour la plus grande partie de ses romans et nouvelles, Maupassant ne s'approche du symbolisme que dans ses contes fantastiques comme *Le Horla*. Il s'en distingue pourtant sur un point : ses histoires restent toujours en prise avec le réel, elles ne s'aventurent dans les territoires de l'étrange qu'avec une volonté de chercher une explication rationnelle à tous les faits incompréhensibles.

Dans un siècle, le XIXe, dominé par la croyance en l'infaillibilité de la science et du progrès, où chaque mystère doit être levé par le secours de l'étude, l'inconnu est source de menace et l'absence d'explication une borne que l'esprit se refuse à franchir. Maupassant est héritier de cette culture du regard et de l'esprit qui cherchent à cerner les phénomènes et à tenter de leur trouver une raison. Appliquant à l'étude de lui-même la même démarche scientifique que le savant utilise pour analyser la nature, Maupassant scrute ses émotions, enregistre des faits et tente de trouver, dans les développements contemporains de la science, des indices pour comprendre. Ainsi, l'expérience hypnotique, introduite par le docteur Bernheim en 1882 à la Faculté de médecine de Nancy [1], est racontée avec précision dans *Le Horla*

---

1. Hippolyte Bernheim (1840-1919), professeur à la Faculté de médecine de Nancy, pratique l'hypnose selon la technique de suggestion mise au point par le docteur Ambroise Auguste Thié bault (1825-1904.). Il publie en 1884 un ouvrage intitulé *De la suggestion dans l'état hypnotique et l'état de veille*. Il fonde avec un groupe d'universitaires l'école de Nancy dont la renommée sera mondiale. Mais c'est avec le professeur Jean Martin Charcot

à travers la séance chez le docteur Parent, suggérant une piste de réflexion pour tenter d'expliquer les actes de ce double invisible qui agit en dehors de la conscience du narrateur. Maupassant était d'ailleurs lui-même assidu, de 1884 à 1886, aux séances d'hypnose pratiquées par le docteur Charcot à la Salpêtrière. Cette fascination pour l'autre à l'intérieur de soi-même, dont on ne peut toujours contrôler les actes, dont on ne peut tout connaître, imprègne nombre de contes de Maupassant. Spilliaert éprouve la même attraction pour l'exploration intérieure et extérieure de soi-même, qui conduit à une solitude inquiète et douloureuse.

Ce peintre belge, né en 1881 et mort en 1946, ami des poètes symbolistes Maeterlinck et Verhaeren, passera plus de vingt ans à scruter les paysages silencieux et étranges, volontiers déserts, des rivages d'Ostende. Ses œuvres, dans une gamme chromatique extrêmement réduite, suggèrent l'absence et l'angoisse, le vide et l'isolement. Il consacre une série impressionnante de peintures à l'étude de son visage, dont il tire des autoportraits cauchemardesques. Ses yeux inquiétants, extrêmement creusés, n'y figurent souvent que comme de gigantesques cavités, et disent la peur de vivre et la fascination pour la mort. « *Ses yeux proéminents sont des miroirs qui absorbent le sang, la vie des objets* », écrira de lui son ami Paul Haesaerts. Parmi toutes ces projections terribles de lui-même, réalisées pour la plupart entre 1907 et 1908, années

----

(1825-1893) que l'hypnose deviendra fortement médiatisée par des séances publiques tenues à l'hôpital de la Salpêtrière. Suivant l'enseignement de Charcot à Paris en 1885, Freud élabore à partir de là ses théories sur l'inconscient et la psychanalyse.

marquées par le doute et la maladie, nulle n'est plus effrayante que cet *Autoportrait au miroir* de 1908. Car cet être qui regarde le peintre n'est plus lui-même, mais une image déformée, inconnue, un autre qu'il ne peut plus reconnaître tant il devient étranger. Et d'ailleurs, ce moi invisible que l'on sent, que l'on éprouve à travers des sensations et des émotions, est-il le même que ce moi visible par le seul truchement du miroir, celui que les autres perçoivent mais dont ils ignorent les pensées et les sentiments ?

… cet autre qui l'habite…

N'est-ce pas cette terrible question qui sous-tend le récit du *Horla* ? Cet être qui mange les forces vives du narrateur, le tourmente et le poursuit, l'entraîne dans une chute dont l'issue, folie ou mort, est nécessairement tragique, n'est-il pas cet autre qui l'habite à l'intérieur, double ou inconscient, projection de lui-même sur lequel il n'a aucune prise ? Tout comme l'artiste dans son miroir, le personnage du conte vit dans sa chair cette angoisse, elle le ronge et modifie peu à peu son aspect physique. Le 18 mai, le médecin qu'il consulte pour soigner ses troubles lui trouve « *le pouls rapide, l'œil dilaté, les nerfs vibrants* ». Un peu plus loin, le 13 août, le mal progresse : « *Quand on est atteint par certaines maladies, tous les ressorts de l'être physique semblent brisés, toutes les énergies anéanties, tous les muscles relâchés, les os devenus mous comme la chair et la chair liquide comme de l'eau.* » Après avoir vainement convoqué toutes les autorités scientifiques au chevet du phénomène qu'il observe et éprouve — le docteur Parent l'initie à l'expérience hypnotique, le docteur Herestauss, «*docteur en philosophie et en théogonie*» aux «*êtres invisibles rôdant autour de l'homme ou rêvés par lui*», le professeur Don Pedro Henriquez, dans la *Revue du Monde scientifique*, attire son attention sur une «*épidémie de folie*» venue de la province de São Paulo et le docteur Mesmer le conduit sur les traces du «magnétisme» —, le narrateur doit bien se résoudre à accepter en dernier ressort que ce qui le tourmente est peut-être en lui. Les dernières phrases de la nouvelle tendent vers cette hypothèse : «… *il n'est pas mort… Alors… alors… il va donc falloir que je me tue, moi!…*». C'est donc auprès de la psychanalyse naissante que Maupassant cherche refuge en dernier lieu.

… les limites du réel…

L'artiste et l'écrivain se font ainsi l'écho, à presque vingt ans de distance, de toutes les inquiétudes qui, du romantisme noir au symbolisme, dérangent le positivisme du siècle, celui de l'industrie et de la machine, confiant dans les vertus du progrès et de la raison. Ces deux mouvements à la fois littéraires et artistiques (l'un au début, l'autre à la fin du siècle) se nourrissent en effet d'une même inquiétude face à la vie que la science, toujours plus précise, n'a pas réussi à calmer. Le climat de peur et d'épouvante qui marque la fin du siècle, nourri de fascination pour les phénomènes paranormaux, occultisme et satanisme, offre une alternative poétique aux certitudes réalistes et impressionnistes. À l'ordre des choses, le symbolisme substitue un désordre de l'esprit, une voie vers l'irrationnel. De ce climat fin de siècle, Maupassant en 1887 et Spilliaert en 1908 conservent la trace dans leurs œuvres, sans jamais être totalement aspirés dans les profondeurs insondables du mystère et de l'étrange. Ils flirtent tous deux avec les limites du réel, sans franchir le point de non-retour.

Le texte

en perspective

Mouvement littéraire
Entre réalisme et naturalisme

« *JE NE CROIS pas plus au naturalisme et au réalisme qu'au romantisme. Ces mots à mon sens ne signifient absolument rien et ne servent qu'à des querelles de tempéraments opposés.* » Ainsi s'exprime Maupassant dans une lettre à Paul Alexis du 17 janvier 1877. Cette lettre attire l'attention sur plusieurs points : elle invite d'abord à se méfier des termes en « isme », qui ne sont souvent que de vastes étiquettes incapables de rendre compte de la spécificité des êtres et des œuvres qu'elles recouvrent. De telles étiquettes résultent d'un double mouvement. D'une part, elles sont souvent adoptées par ceux qui désirent se démarquer de leurs prédécesseurs et de leurs adversaires. Elles servent alors de porte-drapeaux, de bannière sous laquelle se réunissent les différents membres d'un groupe donné. Dans le cas présent, Maupassant dénonce, derrière ces revendications, des querelles de personnes : les désaccords théoriques ou idéologiques ne seraient qu'un prétexte sous lequel se cachent en fait de simples inimitiés. Mais d'autre part, elles constituent aussi une sorte d'artifice pédagogique : grâce au « classicisme », au « romantisme », au « réalisme », le professeur de lettres peut donner une vision globale de l'histoire littéraire à ses élèves, ce qui n'est pas une mince affaire. On ne le répétera jamais assez : une telle approche donne une netteté artificielle à la réalité historique et fige le vivant. L'idéal est donc de parvenir à dépasser une telle vision : cela ne signifie pas pour autant qu'on puisse en faire l'économie. Dans un premier temps, pour comprendre une réalité complexe, un peu de globalité ne fait pas de mal ! Mais Maupassant semble récuser même cette vertu pédagogique puisqu'il affirme que ces mots « ne signifient absolument rien ».

C'est qu'à l'inconvénient des « ismes » s'ajoute ici la mise en œuvre de notions particulièrement complexes : derrière le « réalisme », on entend « réel » ou « réalité », et derrière « naturalisme », on entend « nature »… Comment définir de tels termes ?

1.
Le réalisme : tentatives de définition

1. *Réalisme et réalité*

Qu'est-ce que le réalisme ? On comprend bien qu'il a un rapport avec la réalité mais cela ne fait que reculer le problème : qu'est-ce que la réalité ? C'est « *le caractère de ce qui est réel* », nous dit le dictionnaire. Et qu'est-ce que le réel ? « *Les choses elles-mêmes, les faits réels, la vie réelle, ce qui est.* » Même si nous avons un peu l'impression de tourner en rond, retenons pour commencer que « réel » vient du latin *res*, qui signifie « chose », et qu'il signifie « ce qui est, ce qui existe ». C'est un début.

Il peut aussi être instructif d'envisager tout ce que la « réalité » n'est pas. Parmi ses antonymes, le dictionnaire propose plusieurs séries de termes : l'« apparence » ou l'« illusion » correspondraient à ce que nous croyons faussement être la réalité, de même que « rêve » ou « chimère ». L'« idéalisation » implique une transformation, un embellissement de la réalité dans la « représentation » que l'on en donne ou que l'on s'en fait, la « représentation » elle-même consistant à imiter la réalité, à la reproduire. Ainsi, un portrait peut « représenter » le visage d'un homme au point de lui ressembler comme s'il s'agissait d'une photographie, mais ce portrait reste une peinture, et non le visage lui-même. Le peintre a même dû recourir à des artifices (terme dans lequel on retrouve l'« art ») pour parvenir à une telle ressemblance. Grâce à l'évocation du tableau, nous ne sommes plus très loin alors de l'« imagination » ou de la « fiction », qui suggèrent la création de quelque chose qui n'existait pas. Voilà qui fait beaucoup, et qui montre bien que ce que nous appelons la « réalité » n'est pas simple… Aujourd'hui, lorsqu'on dit de quelqu'un qu'il est « déconnecté de la réalité », on évoque son manque d'expérience, de confrontation aux difficultés de la vie : la réalité est ainsi souvent associée à quelque chose de dur, d'éprouvant, auquel on échappe par le rêve et l'illusion. Si l'on parle de « télé-réalité », cela désigne encore autre chose : on utilise ce néologisme pour évoquer des émissions dans lesquelles ce sont de « vraies » personnes, et non des comédiens, qui se donnent à voir sous l'œil des caméras.

2. L'art comme imitation de la réalité

Revenons à nos histoires de « représentation » et de « fiction », qui relèvent *a priori* du domaine de l'art. Or, ce qu'on oppose traditionnellement à l'art, c'est la « nature » : elle est « ce qui, dans l'univers, se produit spontanément, sans intervention de l'homme ; tout ce qui existe sans l'action de l'homme ». À l'inverse, l'« art » désigne une activité spécifiquement humaine, une technique, une méthode, un ensemble de procédés. Dans cette définition et cette opposition, on perçoit des similitudes entre la « réalité » et la « nature » : dans les deux cas, il s'agit de quelque chose qui existe indépendamment de nous. Mais c'est aussi quelque chose que l'homme a constamment essayé de représenter, que ce soit à travers la peinture ou à travers des textes, des œuvres de langage. C'est ainsi qu'Aristote a défini l'art comme *mimésis*, c'est-à-dire comme une imitation de la nature : nous voyons bien que, depuis longtemps, et bien avant le mouvement littéraire qui porte le nom de « réalisme » au XIXe siècle, les hommes se sont interrogés sur le rapport entre l'art et le réel.

3. Le réalisme comme art

Le suffixe « isme » sert le plus souvent à signifier une propriété, mais nombreux sont les exemples où il signale une intensité, voire un excès. Le « réalisme » serait-il alors une imitation « juste », « vraie » du réel ?

Le mot a d'abord été créé en philosophie pour désigner « la position selon laquelle la réalité du monde extérieur existe indépendamment de nos efforts pour la connaître ». Ce nom a ainsi été donné à plusieurs doctrines philosophiques différentes, réfléchissant chacune sur ce qu'est la réalité. Repris en art et en littérature, il s'applique à « une doctrine selon laquelle l'artiste ne doit pas chercher à modifier le réel ou à en donner une représentation partielle, moralisée ou soumise à un préjugé ». Nous retrouvons bien ici le lien problématique entre la nature et l'art, entre la réalité et la représentation.

C'est en ce sens qu'il désigne, dans l'histoire littéraire, un ensemble d'œuvres écrites dans les années 1840-1860, qui obéiraient toutes à une même esthétique. Le « réalisme », ainsi pris en sandwich entre le romantisme et le symbolisme, peut être caractérisé comme un « *courant artistique qui s'est posé comme but de reproduire la réalité et qui aspire au maximum de vraisemblance* » (Roman Jakobson). Il ne faut pas le confondre, même s'il existe des échanges entre eux, avec le « Réalisme (avec une majuscule) », dont les écrivains Champfleury et Duranty furent les théoriciens désireux de fonder une véritable école littéraire : nous en reparlerons.

La première définition que nous avons posée était neutre. Mais le terme peut également prendre le sens de « qualité d'une œuvre prétendant à la représentation du réel dans ses aspects les plus crus, les plus grossiers » : on voit poindre ici une nuance péjorative. Le réalisme peut alors être perçu comme un excès, une violence : c'est ainsi que certains reportages journalistiques sont critiqués pour leur « réalisme insoutenable » et que certaines œuvres littéraires sont condamnées pour leur complaisance et leur voyeurisme. Paradoxalement, le « réalisme » devient ici une déformation de la réalité — comme si son suffixe en « isme » l'avait contaminé. C'est d'autant plus frappant que, parallèlement, le mot s'est répandu dans l'usage courant pour désigner la disposition à voir la réalité telle qu'elle est et à agir en conséquence : c'est en ce sens qu'on dit des joueurs de football qu'ils « font preuve de réalisme » lorsqu'ils sont efficaces et mettent à profit toute occasion de but qui se présente.

C'est évidemment sur le sens littéraire et artistique que nous allons mettre l'accent. La simple définition du dictionnaire montre que le terme est ambivalent, puisqu'il est utilisé aussi bien en bonne part par ses partisans qu'en mauvaise part par ceux qui le critiquent. Autrement dit, il a une valeur polémique.

4. *Apparition et applications du mot : scandales artistiques et littéraires*

Nous avons dit que les mots en « isme » servaient généralement d'étiquettes, et parfois de porte-drapeaux. Mais en fait, il arrive très souvent que les artistes empruntent ce nom fédérateur à leurs ennemis : l'histoire des impressionnistes est célèbre à ce propos.

Il en alla de même pour le « réalisme » : le vocable avait plutôt un sens neutre lorsqu'il apparut dans la *Revue des Deux Mondes* en 1834. Son emploi se généralisa dans la critique d'art des années 1840, mais il dut sa fortune à un succès de scandale lorsque, en 1850, le peintre Gustave Courbet présenta son tableau *L'Enterrement à Ornans* : il s'agissait d'une toile de grand format, représentant une foule, majoritairement composée de paysans, rassemblée autour d'une tombe fraîchement creusée. Or ce format était traditionnellement réservé aux sujets élevés ou héroïques. Pis, les assistants du curé y étaient représentés avec le nez rouge ! Un tel « réalisme » fut perçu comme une provocation et un sacrilège. Témoin ce jugement sans appel du critique d'art Augé :

> Toute la Bohème rouge affecte d'être en extase devant une croûte… cela représente un enterrement — un enterrement en effet de toutes les croyances, de la religion, de la poésie, et surtout de la vérité, quoique ces messieurs aient baptisé ce nouveau style du nom de réalisme.

La « Bohème » qui se reconnut dans l'audace de Courbet constituait un mouvement ludique et excentrique, qui cultivait la dérision et la provocation, dont faisait notamment partie l'écrivain Champfleury. Dans *Chien-Caillou,* ce dernier s'amuse à opposer, dans deux textes en vis-à-vis, les « *mansardes des poètes* » et les « *mansardes réelles* », parodiant et moquant l'idéalisation romantique. Or Champfleury fut un fidèle du cénacle qui se réunissait autour de Courbet à la brasserie Andler — où l'on croisait aussi un certain Baudelaire… Lorsque, en 1855, Courbet décida d'exposer ses toiles refusées à l'Exposition universelle, dans un pavillon portant l'inscription provocante « *Gustave Courbet. DU RÉALISME* », c'est probablement Champfleury qui en rédigea le catalogue. Il fonda avec Duranty la revue *Le Réalisme,* et fut l'auteur de plusieurs textes théoriques sur la question.

Mais, pour qu'un mouvement laisse une trace dans l'histoire, il faut qu'y soit mêlé le nom d'au moins un auteur reconnu ! En l'occurrence, c'est celui de Gustave Flaubert qui s'impose, à son corps défendant. En 1857 en effet, son roman *Madame Bovary* est condamné pour son *« réalisme grossier et offensant pour la pudeur »* ! La même année, dans le procès intenté à Baudelaire pour ses *Fleurs du Mal*, le mot « réalisme » est également prononcé. Il est manifeste ici que le terme a, sous la plume des censeurs et des critiques, un sens péjoratif et condamnable. Il crée une solidarité, somme toute artificielle, entre des auteurs très différents les uns des autres.

2.
Le naturalisme, ou le réalisme revu par Zola

On a pourtant tendance à ranger sous la bannière réaliste Gustave Flaubert et les frères Goncourt pour ces années 1850-1860, mais aussi des romanciers de la génération antérieure, Balzac au premier chef, voire Stendhal — bien qu'ils soient morts avant toutes ces querelles.

1. *Quelques mots préliminaires sur les frères Goncourt...*

Certes, on peut dire des frères Goncourt qu'ils ont ouvert la voie du roman réaliste, notamment avec *Germinie Lacerteux* (1864), qui se veut l'étude médicale d'un cas d'hystérie et s'inspire de la vie (et de la mort) de leur domestique. Pour ce faire, ils ont rassemblé une importante documentation. Ce roman comporte une préface, brève, mais décisive, qui commence en ces termes :

> Il nous faut demander au public de lui donner ce livre et l'avertir de ce qu'il y trouvera. Le public aime les romans faux : ce roman est un roman vrai.

Toute leur préface tourne de fait autour des virtualités du roman et des impératifs qui s'imposent à lui. C'est la seule forme littéraire dans laquelle peuvent s'épanouir toutes les exigences du réalisme parce que c'est la plus souple :

> Aujourd'hui que le Roman s'élargit et grandit, qu'il commence à être la grande forme sérieuse, passionnée, vivante, de l'étude littéraire et de l'enquête sociale, qu'il devient, par l'analyse et la recherche psychologique, l'Histoire morale contemporaine, aujourd'hui que le Roman s'est imposé les études et les devoirs de la science, il peut en revendiquer la liberté et les franchises.

Avant de voir comment Zola va reprendre et adapter ce projet (la légende veut qu'il ait découvert sa vocation en lisant cet ouvrage), il nous faut insister sur un point : on ne peut limiter l'ambition ni même les réalisations des frères Goncourt à cette préoccupation réaliste. L'essentiel, pour eux, réside dans le style : la préface d'Edmond de Goncourt aux *Frères Zemganno* est sans équivoque sur ce point. Ils ont opté pour une « écriture artiste » riche en termes rares et néologismes, en ruptures syntaxiques, en travail sur les rythmes.

2. ... et sur Flaubert

Le choix de Flaubert est tout différent mais, pour lui comme pour eux, seul compte le style. Cette démarche n'est pas si contradictoire qu'il y paraît. « *Nous nous sommes demandé,* écrivaient les Goncourt, *si ce qu'on appelle "les basses classes" n'avait pas droit au roman.* » Certes, c'est là donner une légitimité inédite à la représentation du peuple dans la littérature. Mais c'est aussi affirmer que tous les sujets, quels qu'ils soient, se valent, et que finalement seul compte le travail du style qui fait de ces sujets un texte. Si toute l'œuvre de Flaubert témoigne d'un extrême souci de l'exactitude documentaire, c'est parce qu'il espérait grâce à elle acquérir « ce coup d'œil médical de la vie, cette vue du vrai qui est le seul moyen d'arriver à de grands effets d'émotion ». Le souci documentaire entre donc dans une stratégie esthétique à laquelle il est subordonné. Cette stratégie esthétique légitime un autre choix décisif : le romancier doit observer l'âme humaine « avec l'impartialité qu'on met dans les sciences physiques », il doit donc paraître absent de son œuvre, tendre à l'impersonnalité.

Ces quelques lignes ne peuvent rendre justice à la complexité et la richesse de cette œuvre. Mais peut-être permettent-elles d'en comprendre la diversité, alors que seules *Madame Bovary* et *L'Éducation sentimentale* sont régulièrement convoquées pour prouver le « réalisme » de Flaubert.

3. Les « annexions » de Zola

Or justement, aux yeux d'Émile Zola, *L'Éducation sentimentale* représente « le modèle du roman naturaliste ». Dans ce *« livre trop vrai »*, écrit-il, il n'y a ni intrigue, ni héros, mais *« procès-verbal des menus faits quotidiens d'un groupe d'êtres »*. Ce qu'il retient donc de l'entreprise flaubertienne, c'est que le romancier doit avant tout être un bon observateur du réel et se comporter comme un enquêteur, en partant de l'idée que *« la nature suffit ; il faut l'accepter telle qu'elle est, sans la modifier ni la renier en rien »*. Comme le prônait Flaubert, le roman doit être impersonnel : *« L'unique besogne de l'auteur a été de mettre sous vos yeux des documents vrais. »*

La préoccupation de Zola ne semble alors pas être d'ordre stylistique, sinon dans le sens où il postule une transparence du langage, qui permettrait au roman de refléter fidèlement la réalité. Si le choix stylistique de Flaubert est si séduisant pour Zola, c'est parce qu'il donne l'impression que rien ne s'interpose entre le lecteur et la réalité, alors même qu'en vérité il lit un texte. Zola peut reprendre à son compte cette phrase de Stendhal, dans *Le Rouge et le Noir* : *« Un roman est un miroir qui se promène sur une grande route »* (chap. XIX, 2e partie : ce passage constitue un développement de l'épigraphe du chap. XIII, 1re partie). Et pour cause : Stendhal était, lui aussi, un « romancier naturaliste » ! C'est en tout cas ce que prétend Zola, dont la démarche consiste à annexer au mouvement naturaliste de glorieux prédécesseurs, parmi lesquels Flaubert, Balzac et

Stendhal, mais aussi Diderot et Rousseau, et même Homère ! Mais au fait, qu'est-ce qu'un « romancier naturaliste », qu'est-ce que le naturalisme ?

4. *Le naturalisme*

Le terme s'impose à la critique littéraire, à partir des années 1880. Son histoire ressemble à celle du « réalisme », à une nuance d'importance près : plutôt qu'au domaine philosophique, il a d'abord appartenu au domaine scientifique. À l'origine, un « naturaliste » est « une personne qui étudie l'histoire naturelle », tel Charles Darwin par exemple. Le « naturalisme », quant à lui, a pris au XVIIIe siècle un sens philosophique, désignant la conception matérialiste d'un monde sans Dieu, selon laquelle rien n'existe en dehors de la nature, seul principe organisateur : alors défendue par Diderot, cette conception est reprise et approfondie au XIXe siècle par Taine. Lorsque le terme est transposé dans le domaine artistique, c'est à la peinture qu'il commence par s'appliquer. Dans son *Salon* de 1863, le critique Castagnary suggère l'émergence d'une « école naturaliste », qui affirme « que l'art est l'expression de la vie sous tous ses modes et à tous ses degrés, et que son unique but est de reproduire la nature en l'amenant à son maximum de puissance et d'intensité : c'est la vérité s'équilibrant avec la science ». On voit à quel point le désir de vérité est constant.

C'est en tout cas d'un mot chargé de sens que s'empare Zola, un mot qui à la fois souligne le rapport avec les sciences de la nature, suggère l'idée d'un système philosophique, et met en jeu un sens artistique, esthétique. En 1868, Zola mentionne dans la préface à la deuxième édition de *Thérèse Raquin* un « *petit groupe d'écrivains naturalistes auquel il a l'honneur d'appartenir*», mais c'est surtout à partir des années 1875 qu'il affine sa définition, dans le cadre d'une véritable campagne publicitaire! Il multiplie alors les études théoriques, articles et chroniques, ultérieurement réunis en six recueils dont le plus célèbre est *Le Roman expérimental* (1880), pour affirmer l'existence et la puissance du mouvement naturaliste.

5. *Principes et revendications de Zola*

L'ensemble de ces articles construit une doctrine cohérente, selon laquelle le roman est amené à se transformer :

> On finira par donner de simples études, sans péripétie, ni dénouement, l'analyse d'une année d'existence, l'histoire d'une passion, la biographie d'un personnage, les notes prises sur la vie et logiquement classées.

Les termes « étude », « analyse », « logique » appellent celui de « méthode » : en passant du « réalisme » au « naturalisme », Zola revendique clairement la scientificité de son entreprise. Il compare volontiers le romancier naturaliste à un anatomiste ou un chirurgien qui dissèque le cœur de l'homme : non seulement tous deux sont guidés par la recherche de la vérité, mais tous deux font aussi œuvre utile pour la société. Zola se démarque ainsi du désespoir flaubertien, qui conduit au néant : dans ce monde privé de Dieu, il adosse son œuvre romanesque à la science pour lui donner un sens, une légitimité et une assise.

Il entend suivre le modèle de l'*Introduction à la médecine expérimentale* de Claude Bernard, auquel on voit ce que doit le titre de *Roman expérimental*. On peut relever une contradiction dans ce titre : comment le roman, création ou fiction textuelle, peut-il permettre une expérience qui doit se fonder sur la réalité ? On a pu y voir une naïveté : la correspondance entre Maupassant et Flaubert montre leur scepticisme à cet égard. Mais cet appui sur les sciences a fourni à Zola le moyen de canaliser une formidable énergie, qui se donne à lire dans l'impressionnant massif romanesque des *Rougon-Macquart*, qui fait pendant au massif balzacien de *La Comédie humaine*.

6. Les Rougon-Macquart, « *histoire naturelle et sociale d'une famille sous le Second Empire* »

Ce cycle en vingt volumes, publiés entre 1870 et 1893, raconte l'histoire d'une famille sur cinq générations et en analyse l'évolution. On peut y lire une illustration des thèses de Zola dans la mesure où ces romans témoignent d'une colossale recherche documentaire et de la mise en application d'un système scientifique : l'auteur entend y étudier l'influence du milieu sur l'homme et y démontrer la loi de l'hérédité. À l'origine donc était Adélaïde Foulque, qui souffrait d'un déséquilibre nerveux. Elle a épousé Eugène Rougon, dont elle a eu des enfants. Mais elle a aussi eu un amant, un contrebandier sauvage nommé Macquart… Chaque branche va donc évoluer dans un milieu différent : hautes sphères sociales pour les Rougon, basses classes pour les Macquart. Mais toute la descendance d'Adélaïde Foulque souffrira d'un déséquilibre plus ou moins marqué. Ce point de départ permet à Zola de balayer toutes les couches de la société tout en montrant que l'homme est déterminé par son milieu et son hérédité, dont la combinaison donne lieu à des configurations diverses.

Mais, heureusement, *Les Rougon-Macquart* ne sont pas réductibles à un simple roman à thèse. Zola a adopté une écriture caractéristique, marquée par l'ampleur des descriptions, par la présence de nombreux registres différents (il faut rendre compte des parlers populaires), par le discours indirect libre, par l'audace des images. La force de ces images, tout comme la puissance de la phrase, donnent une dimension épique à cette écriture, dont le souffle dépasse le projet explicite de Zola. Celui-ci ne renie d'ailleurs pas sa subjectivité puisqu'il définit l'art comme « *un coin de la création vu à travers un tempérament* » : il admet donc qu'entre le lecteur et la réalité s'interpose le regard du romancier, qui fonctionne comme un filtre. Or, à la lecture de ces romans, un imaginaire s'impose, à travers des métaphores récurrentes, des fantasmes obsédants : certains motifs reviennent constamment, les objets semblent doués d'une vie mystérieuse qui en fait des monstres, des forces occultes, des êtres collectifs… Au cœur même du naturalisme, le mystère est toujours présent.

3.
Autour de Zola

1. *Un groupe éphémère*

Les Goncourt, Flaubert et Zola se fréquentaient. C'est en se rendant régulièrement aux «dimanches» de Flaubert, qu'il connaissait par l'intermédiaire de son oncle maternel et de Louis Bouilhet, que Maupassant fit la rencontre des uns et des autres. En 1877, il participa au célèbre dîner Trapp, considéré comme le repas de baptême du naturalisme, qui réunit autour des Goncourt, de Flaubert et de Zola, leurs principaux disciples : Paul Alexis, Henry Céard, Léon Hennique, Joris-Karl Huysmans, Octave Mirbeau, et Maupassant lui-même. À l'exception de Mirbeau, leurs noms se retrouvèrent en 1880 dans le recueil intitulé *Les Soirées de Médan*, dont le sujet, la guerre de 1870, et le traitement cynique ou parodique qu'elle subissait prêtaient à polémique. Le titre même du recueil fait référence aux réunions qu'organisait Zola dans sa propriété de Médan, aux environs de Paris.

Tous adoptèrent le genre romanesque, souvent après s'être essayés à la nouvelle, mais il est frappant de constater qu'à l'exception de Maupassant, tous ces disciples proclamés de Zola s'engagèrent finalement sur la voie de la littérature «fin de siècle», symboliste et décadente. L'exemple le plus célèbre et le plus clair est celui de J.-K. Huysmans : lui qui avait publié *Les Sœurs Vatard* et *Marthe, histoire d'une fille*, dont les titres mêmes proclament un réalisme assumé, reste aux yeux de la postérité l'auteur d'*À Rebours*, souvent présenté comme le bréviaire de la décadence.

2. *Maupassant, disciple à distance*

Maupassant en revanche est souvent classé « romancier naturaliste », ce qui ne va pas sans simplifications abusives. Si *Bel-Ami* et *Une vie* peuvent être considérés comme des romans réalistes, ils s'inscrivent davantage dans la lignée désespérée de Flaubert que dans celle de Zola. La précision n'a peut-être de valeur qu'anecdotique, mais rappelons que Flaubert a eu une extrême importance dans la vie et le parcours littéraire de Maupassant : il l'a aidé à ses débuts, soutenu dans sa recherche d'emploi ou ses premières publications. Il est surtout considéré comme le véritable « père littéraire » de Maupassant, qui partage son pessimisme.

Ce pessimisme se lit tout au long des quelque trois cents nouvelles (dont une trentaine de « fantastiques ») que Maupassant écrivit dans l'intervalle de seulement douze ans : cette forme est privilégiée parce que sa brièveté permet de forts effets de structure qui toujours font éclater une contradiction. On peut presque les lire comme autant de variations sur le désespoir. Dans les dernières années toutefois, le roman entre en concurrence avec la nouvelle : sur six romans, quatre sont publiés entre 1887 et 1890. La publication de *Pierre et Jean*, en 1888, est l'occasion pour Maupassant d'une réflexion percutante sur le roman, par laquelle, avant de rendre un hommage appuyé à Flaubert, il marque sa prise de distance avec Zola : « *Si nous jugeons un naturaliste, montrons-lui en quoi la vérité dans la vie diffère de la vérité dans son livre.* » Suit une démonstration de quatre pages, au cours de laquelle Maupassant montre que le romancier désireux de donner « *une image exacte de la vie* » est contraint de faire des choix qui témoignent d'une « *vision personnelle du monde* » et qui sont une « *première atteinte à la théorie de la vérité* ». Il met surtout l'accent sur la différence entre « vérité » et « vraisemblance » :

> La vie encore laisse tout au même plan, précipite les faits ou les traîne indéfiniment. L'art, au contraire, consiste à user de précautions et de préparations, à ménager des transitions savantes et dissimulées, à mettre en pleine lumière, par la seule adresse de la composition, les événements essentiels et à donner à tous les autres le degré de relief qui leur convient, suivant leur importance, pour produire la sensation profonde de la vérité spéciale qu'on veut montrer.
>
> Faire vrai consiste donc à donner l'illusion complète du vrai, suivant la logique ordinaire des faits, et non à les transcrire servilement dans le pêle-mêle de leur succession.
>
> J'en conclus que les Réalistes de talent devraient s'appeler plutôt des Illusionnistes.

Nous retrouvons clairement posée ici l'irréductible différence entre l'art et la nature, le texte réaliste restant, malgré qu'il en ait, un pur artifice verbal. Le comble de l'illusion réaliste est peut-être atteint dans le récit fantastique, comme nous le verrons bientôt : il s'agit d'installer le lecteur dans un univers connu, familier, auquel il adhère. Cet assentiment premier est nécessaire : une fois que le lecteur croit avoir trouvé ses repères, tout est prêt pour leur destruction… *Le Horla* constitue un coup de maître en la matière.

3. La mort du naturalisme ?

La fin de siècle coïncide avec une période de crise qui ne touche pas seulement le naturalisme. Toujours est-il que la figure rayonnante de Zola commence à être contestée de partout : en 1887, les auteurs Rosny, Bonnetain, Guiches, Margueritte et Descaves signent le *Manifeste antinaturaliste des Cinq* contre son roman. En 1891, plusieurs critiques proclament « la mort du naturalisme ». À l'enquête de Jules Huret sur les écoles littéraires en vogue, Mallarmé répond : « *Pour en revenir au naturalisme, il me paraît qu'il faut entendre par là la littérature d'Émile Zola, et que le mot mourra, en effet, quand Zola aura achevé son œuvre.* » Seul Alexis répond à cette enquête, par un télégramme : « *Naturalisme pas mort.* » Mais la lettre qui doit suivre ne sera jamais écrite, et la prédiction de Mallarmé semble se réaliser : beaucoup de critiques font coïncider la fin du naturalisme avec la publication du dernier volume des *Rougon-Macquart*, en 1893. Émile Zola meurt en 1902 : en 1903, Huysmans signe une préface à la nouvelle édition d'*À Rebours*, qui met cruellement en lumière les impasses du mouvement initié par son ancien maître à penser.

Pour prolonger la réflexion

Préfaces et textes théoriques importants pour la compréhension du roman réaliste et naturaliste :

1842 Balzac, Avant-propos à *La Comédie humaine.*
1864 Goncourt, Préface à *Germinie Lacerteux.*
1877 Zola, Préface à *L'Assommoir.*
1880 Zola, *Le Roman expérimental.*
1881 Zola, *Le Naturalisme au théâtre et Les Romanciers naturalistes.*
1887 Maupassant, préface à *Pierre et Jean.*
1903 Huysmans, préface à *À Rebours.*

Genre et registre
La nouvelle fantastique

ON PEUT LÉGITIMEMENT trouver bizarre d'avoir consacré toute une section au mouvement naturaliste dont fit plus ou moins partie Maupassant, alors que le texte dont il est question, *Le Horla*, relève du registre fantastique, qui semble fort éloigné des préoccupations réalistes. Il y a effectivement un paradoxe mais, conformément à la définition du paradoxe, nous verrons que la contradiction n'est qu'apparente. Que l'on songe simplement à Balzac, considéré comme un auteur réaliste alors qu'il a signé nombre de romans « philosophiques » que l'on pourrait qualifier de « fantastiques », ou qui du moins mettent en jeu des éléments surnaturels : *La Peau de chagrin* (1831), *Louis Lambert* (1832), *Séraphita*, *La Recherche de l'Absolu* (1834)… C'est que, comme nous allons le voir, le fantastique ne se déploie que sur un terrain réaliste, et qu'il dépend étroitement de la connaissance scientifique du monde propre au XIXe siècle.

1.
Premières définitions et apparition du mot : contexte historique

Le terme « fantastique », comme celui de « dramatique », n'a pas du tout le même sens selon qu'il est employé dans une conversation courante (« ce film était fantastique », autrement dit très réussi) ou dans le vocabulaire spécialisé, où il a conservé une signification plus proche de son origine étymologique. Il vient en effet du grec *phantasia*, qui signifie « apparition », d'où « imagination, image qui s'offre à l'esprit », et qui a également donné au français « fantaisie », « fantasme », « fantôme »…

1. *Le succès du fantastique au XIXᵉ siècle*

C'est d'abord un adjectif s'appliquant à ce qui n'existe pas dans la réalité. Au XVIᵉ siècle, il a même signifié « fou, insensé » avant de qualifier, par extension, ce qui paraît imaginaire, ce qui présente une apparence étrange. On en vient au XIXᵉ siècle au sens courant d'« étonnant, incroyable », et c'est justement le développement, à cette époque, de récits jouant sur l'étrange qui conduit Charles Nodier, lui-même auteur de plusieurs « contes fantastiques », à en faire un substantif, dans un long article intitulé « Du fantastique en littérature » (1830), qui est en même temps un plaidoyer en faveur du romantisme. Il y reconstitue l'histoire de ce qu'il appelle le « fantastique », défini comme produit de l'imagination de l'homme. Tout commencerait par le «fantastique religieux» de la Bible, solennel et sombre, et par les contes orientaux des *Mille et Une Nuits*, dont la «fantaisie purement poétique» utilise toutes les ressources de l'imagination pour apporter du plaisir à ses auditeurs. Commence alors un vaste panorama historique qui survole toutes les régions du monde pour s'achever au XIXᵉ siècle en France. Nodier défend vigoureusement le fantastique face à ceux qui ont chassé les dieux du firmament, oublié les plaisirs enfantins de la croyance aux contes, recherché la vérité nue au prix du bonheur des hommes. À force de rationaliser le monde, on ne laisse plus assez place au rêve et à l'imagination, pourtant nécessaires à l'humanité :

> L'apparition des fables recommence au moment où finit l'empire de ces vérités réelles ou convenues qui prêtent un reste d'âme au mécanisme usé de la civilisation. Voilà ce qui a rendu le fantastique si populaire en Europe depuis quelques années, et ce qui en fait la seule littérature essentielle de l'âge de décadence ou de transition où nous sommes parvenus.

2. *La littérature fantastique comme «mauvaise conscience» d'un siècle positiviste*

Effectivement, on ne cesse alors de publier des «contes fantastiques», qui séduisent un vaste public. Les causes de ce succès sont multiples, parmi lesquelles un rapport ambivalent à la science : celle-ci exerce un véritable pouvoir de fascination parce qu'elle recule les limites des potentialités humaines, mais un tel progrès ne paraît pas sans danger.

Au moment où Maupassant écrit son *Horla*, la révolution scientifique et industrielle a mis au jour des techniques qui ont aujourd'hui l'évidence d'un usage quotidien, mais dont le fonctionnement reste, tout compte fait, mystérieux pour les profanes : c'est le cas de l'électricité, qu'évoquent la *Lettre d'un fou* et la première version du *Horla*. Elle y est qualifiée de « *mystère entrevu* » au même titre que le « *sommeil hypnotique, la transmission de la volonté, la suggestion, tous les phénomènes magnétiques* ». C'est que la fin du siècle est marquée par la fascination pour la folie et par l'effervescence de la recherche en la matière : en témoigne l'impressionnante séance d'hypnose à laquelle est soumise la cousine du narrateur. De façon plus générale, ces trois récits fourmillent de médecins et d'aliénistes, du destinataire de la lettre au docteur Parent en passant par le docteur Marrande. L'allusion à l'« école de Nancy » fait référence à l'actualité immédiate de l'époque et montre combien Maupassant, qui a suivi les cours du docteur Charcot, vu interner son frère et fini par entrer lui-même à la clinique du docteur Blanche, était au fait des dernières avancées des connaissances en la matière.

Mais, dans l'ultime version du *Horla*, ces progrès dans la découverte et la manipulation du psychisme humain sont soudain dénoncés, comme si les hommes avaient joué avec de dangereuses limites :

> Les médecins, depuis dix ans déjà, ont découvert, d'une façon précise, la nature de sa puissance [...]. Ils ont joué avec cette arme du Seigneur nouveau [...]. Ils ont appelé cela magnétisme, hypno-

> tisme, suggestion… que sais-je ? Je les ai vus s'amuser
> comme des enfants imprudents avec cette horrible
> puissance !

Ces découvertes ne sont plus attribuées au progrès des connaissances humaines, mais à la transgression d'un interdit qui met l'homme à la merci
d'une puissance supérieure. Une telle prise de position, même si elle est le fait d'un narrateur suspect
de délire, est significative du doute qui peut saisir les
hommes après une période d'euphorie positiviste,
qui manifestait une foi absolue et exclusive dans la
science et ses progrès. Or cette foi est sérieusement
tempérée dans ces années 1880, les intellectuels
subissant notamment l'influence du pessimisme de
Schopenhauer. Maupassant, dans un article intitulé
« Du fantastique » (1884), qu'il consacre surtout à la
mort de Tourgueniev, en vient même à exprimer,
comme Nodier avant lui, sa nostalgie des croyances
et superstitions, battues en brèche par les progrès
de la science : « *Nous avons rejeté le mystérieux qui n'est*
plus pour nous que de l'inexploré », ce qui annonce selon
lui la fin de la littérature fantastique.

Dans un sens, il n'a pas tout à fait tort dans la
mesure où le XXe siècle, héritier en cela de Jules
Verne, va connaître un formidable essor des récits
de science-fiction qui, comme leur nom l'indique,
se situent tous dans un avenir fictif mais possible,
dans lequel le nouvel état du monde est dû aux progrès de la science. Tout ce qui n'existe pas à présent
est susceptible d'advenir dans le futur : ce que nous
ne connaissons pas n'est donc plus « mystérieux »
mais seulement « inexploré », pas encore compris.
D'autre part, la psychanalyse aurait « remplacé » la

littérature fantastique, ou du moins lui aurait porté un coup dur, en en récupérant les thèmes et en les passant à la moulinette de l'interprétation : le « ça » aurait remplacé le diable !

3. *La tentation psychanalytique*

À ce propos, il est tentant de relire *Le Horla* à la lumière des découvertes ultérieures de Freud (qui fut l'élève de Charcot) sur l'inconscient. Certains, tels plusieurs contemporains de Maupassant ou le critique Otto Rank, ont lu *Le Horla* comme un récit prémonitoire de la folie qui allait emporter son auteur, le confondant ainsi avec le personnage-narrateur du récit. Maupassant aurait d'ailleurs prévu une telle dérive, confiant ces mots à son valet :

> J'ai envoyé aujourd'hui à Paris le manuscrit du « Horla » ; avant huit jours, vous verrez que tous les journaux publieront que je suis fou. À leur aise, ma foi, car je suis sain d'esprit, et je savais très bien, en écrivant cette nouvelle, ce que je faisais. C'est une œuvre d'imagination qui frappera le lecteur et lui fera passer plus d'un frisson dans le dos, car c'est étrange.

Il faut en effet une maîtrise certaine de l'écriture et de la structure pour pouvoir construire un récit aussi efficace. Plutôt que de psychanalyser sauvagement Maupassant, nous voudrions mettre l'accent sur les similitudes entre certaines descriptions présentes dans *Le Horla* et la théorie freudienne. Cet être mystérieux qui impose sa volonté au narrateur et lui fait prononcer des paroles involontaires (« *j'ai voulu dire : "À la gare !" et j'ai crié […] "À la maison"* »), voire oublier (refouler) la présence de ses domestiques dans la maison, cet « autre » qui travaille en « moi », pourrait correspondre à l'inconscient, dont les poussées provoquent par exemple des lapsus.

Freud s'est logiquement intéressé au fantastique dans un ouvrage intitulé *L'Inquiétante Étrangeté* (1919) : il y examine les moments où ce qui nous semble familier devient source d'angoisse. Le motif du double est particulièrement représentatif de cette « inquiétante étrangeté » : il correspond à ce que nous connaissons le mieux (c'est un autre soi-même), et pourtant il est autre, étranger et donc inquiétant. Rencontrer son double, c'est être averti que la mort est proche : cette croyance est présente dans plusieurs civilisations et textes littéraires. D'ailleurs Freud, pour étayer sa démonstration, s'appuie exclusivement sur des œuvres littéraires. À ses yeux, l'œuvre fantastique est la mise en scène d'un fantasme : elle réalise ce qui ne peut arriver dans le monde réel et permet une transgression des règles de ce monde.

2.
Pour affiner cette première approche

1. *Le fantastique n'est pas un conte de fées*

Si l'on se fonde sur l'étymologie, serait fantastique tout écrit qui présente des êtres ou des phénomènes imaginaires, surnaturels. Pourtant, on ne parle pas de « fantastique » à propos des contes de fées par exemple. C'est parce que l'univers féerique n'interfère pas avec le monde réel : tous deux sont indépendants l'un de l'autre et obéissent à des lois différentes. Dans le conte de fées, le surnaturel n'a rien de surprenant : on y croise des dragons, des elfes, des animaux parlants ; on y fait usage de baguette magique, de tapis volants ou de génies enfermés dans des lampes, etc. Certes, ces lois sont particulières mais, une fois acceptées, elles régissent un univers cohérent et homogène.

Au contraire, le fantastique prend tout son impact parce qu'il surgit, de façon inattendue et agressive, au sein du monde réel. Le fantastique n'existe donc que lorsque l'événement extraordinaire vient briser les lois bien établies, immuables du quotidien : « *Tout le fantastique est rupture de l'ordre reconnu, irruption de l'inadmissible au sein de l'inaltérable légalité quotidienne*» (R. Caillois). Le fantastique apparaît bien, ici aussi, comme ce qui transgresse la norme.

2. *Le fantastique obéit à un fonctionnement particulier*

Tzvetan Todorov, pour sa part, a essayé de découvrir une règle qui fonctionne à travers plusieurs textes, afin de prouver que le fantastique constitue un genre spécifique :

> Dans un monde qui est bien le nôtre, se produit un événement qui ne peut s'expliquer par les lois de ce même monde familier. Celui qui perçoit l'événement doit opter pour l'une des deux solutions possibles. Ou bien il s'agit d'une illusion des sens et les lois du monde restent ainsi ce qu'elles sont. Ou bien l'événement a véritablement eu lieu, et alors la réalité est régie par des lois inconnues de nous. Le fantastique occupe le temps de cette incertitude.

> Le fantastique, c'est l'hésitation éprouvée par un
> être qui ne connaît que les lois naturelles face à un
> événement en apparence surnaturel.

Puisque le fantastique correspond au temps pendant lequel le lecteur ne peut pas trancher en faveur
de l'une ou l'autre hypothèse, on comprend l'intérêt pour les auteurs de recourir à une narration à la
première personne — il est difficile de maintenir
une incertitude avec un narrateur omniscient — et
à une forme relativement brève, le conte ou la nouvelle — encore qu'il existe des romans fantastiques.
Si le récit tranche en faveur d'une explication rationnelle (songe, ivresse, folie ou machination destinée
à faire croire l'impossible), on entre dans la catégorie de l'étrange ; l'inquiétude se résorbe et tout rentre
dans l'ordre. Si l'irrationnel est accepté, on bascule
en revanche dans la catégorie du merveilleux, où
l'univers est soumis à d'autres lois que celles du
monde réel. L'intérêt d'une telle définition, c'est
qu'elle met l'accent sur le lecteur.

3. *Le XIXᵉ siècle : âge d'or de la littérature fantastique*

On comprend mieux désormais pourquoi le
XIXᵉ siècle apparaît comme le siècle d'or de la littérature fantastique : il offre une configuration inédite,
au sein de laquelle le surnaturel devient inaccep-
table puisque la dissolution des cadres religieux a
laissé un vide que la science, malgré l'engouement
qu'elle provoque, ne parvient pas à combler totalement. On peut observer que le fantastique surgit
pour pallier un défaut de causalité : malgré les pro-

grès de la science, il reste toujours de l'inexplicable, et nos vies sont tissées de phénomènes bizarres, de coïncidences troublantes, que l'on attribue au hasard. Mais l'on pourrait tout aussi bien — et c'est ce qui se passe dans la littérature fantastique — vouloir leur trouver une explication qui dépasse la perception ou l'entendement humains.

Mais l'aspect métaphysique n'est pas seul en jeu : le succès actuel d'un Stephen King est là pour nous rappeler combien les gens adorent se faire peur. Au xixe siècle, la lecture prend son essor dans toutes les couches de la population et les périodiques sont l'outil idéal pour une généralisation de la lecture. Ce n'est pas un hasard si le terme de «nouvelle», qui désigne un type particulier de récit, signifie aussi le «fait récent» que nous livrent les journaux.

3.

La nouvelle ou le conte fantastique

1. *Rapport entre la nouvelle et les journaux*

C'est au xiiie siècle que le terme *novele* prend le sens courant de «faits récents». L'adjectif latin dont il est issu, *novus*, implique bien l'idée de nouveauté. Aujourd'hui, le mot s'applique aussi bien aux événements de l'actualité rapportés par les médias qu'aux récits brefs inventés par les écrivains. Ces récits brefs obéissent à certaines contraintes : brièveté, clarté de l'intrigue, simplicité des personnages. On a souvent mis en rapport l'éclosion de la nouvelle au xixe siècle avec l'émergence des pério-

diques, et leur succès populaire : la plupart des nouvelles étaient publiées en périodique avant d'être
éventuellement diffusées en recueil. Ainsi, la *Lettre
d'un fou* a paru dans le *Gil Blas* du 17 février 1885,
signé du pseudonyme « Maufrigneuse », et n'a jamais
été repris en recueil du vivant de Maupassant, de
même que *Le Horla* (première version), publié dans
le *Gil Blas* du 26 octobre 1886. En revanche, la dernière version a d'abord été publiée dans un recueil
homonyme avant d'être reprise dans les *Annales politiques et littéraires* en mai-juin 1887, puis dans différentes revues : celles-ci s'en sont emparées en 1892,
l'accompagnant d'avertissements qui rappelaient la
récente tentative de suicide de Maupassant, argu-
ment qui leur paraissait particulièrement vendeur…

Mais la collaboration entre Maupassant et la presse
a été constante : il a lui-même exercé le métier de
journaliste, et toutes ses œuvres ont d'abord paru
dans les journaux, sous forme de feuilleton pour les
romans, et en une, deux ou trois livraisons pour
les nouvelles. Le recueil intitulé *Contes du jour et de la
nuit* (1884) reprend ainsi huit œuvres prépubliées
dans *Gil Blas* et quinze dans *Le Gaulois*. Nous par-
lions de « nouvelle », et voici que nous nous trou-
vons face à un titre qui comporte le mot « conte » :
qu'est-ce à dire ?

2. *Le conte et la nouvelle : une terminologie flottante*

Le terme de « conte » remporte manifestement
un vif succès au XIXe siècle, si l'on en juge par le
nombre de titres qui s'y réfèrent. De nos jours, les

écrits fantastiques de Maupassant sont souvent ras-
semblés sous le titre *Contes* (*fantastiques, d'angoisse,*
etc.) et les éditeurs de la Pléiade ont rassemblé tous
ses récits brefs sous le titre commode de *Contes et
nouvelles.* Alors, faut-il parler de « conte » ou de
« nouvelle » ? Au XIXe siècle en tout cas, ils semblent
fonctionner comme des équivalents. En témoigne,
exemple parmi tant d'autres, cette lettre où Nodier
annonce : « *Par égard pour ce grand âge d'émancipation
universelle, j'intitulerai mes contes : nouvelles fantastiques.* » Ce faisant, il joue sur les mots : il choisit
« nouvelle » pour marquer la nouveauté, la moder-
nité de cette littérature, mais on entend malgré tout
« contes fantastiques ».

La vogue de cette expression est issue d'une traduction approximative des *Fantasiestücke* de Hoffmann : au lieu d'intituler le recueil *Fantaisies,* le
traducteur Loève-Veimars a adopté le titre de « contes
fantastiques ». Ceux-ci proclament ainsi leur parenté
avec le conte de fées, qu'ils transforment pourtant.
Mais le terme de « conte » présente surtout l'intérêt
de mettre l'accent sur l'oralité de ces textes, souvent pris en charge par un narrateur-personnage
qui raconte une histoire.

Il est difficile de donner une définition stricte de
la nouvelle : à chaque moment, depuis le XVIe siècle,
elle s'est trouvée en concurrence ou en situation
d'échanges soit avec d'autres formes brèves (le conte,
l'anecdote, le poème en prose), soit avec le roman.
Au total, ce qui caractériserait le genre, c'est sa souplesse, et les effets de structure que sa concentration
permet. C'est ce qui explique la prédilection de la
littérature fantastique pour cette forme. Une défini-

tion récente du fantastique propose la formule suivante :

> Le récit fantastique repose en dernier ressort sur la confrontation d'un personnage isolé avec un phénomène, extérieur à lui ou non, surnaturel ou non, mais dont la présence ou l'intervention représente une contradiction profonde avec les cadres de pensée et de vie du personnage, au point de les bouleverser complètement et durablement (J. Malrieu).

Elle présente l'avantage d'élargir le champ de la littérature fantastique, tout en essayant de fournir un principe de structure universel. La nouvelle donne au récit de cette crise, grâce à sa concentration dramatique, un caractère particulièrement aigu. Sa brièveté contraint à la stylisation : on ne retient que l'essentiel, en vue d'un « effet à produire ». C'est ce que prône Edgar Allan Poe. Autrement dit la nouvelle doit être tendue vers son dénouement, exigence que Maupassant a parfaitement assimilée. Poe ajoute que le texte doit être suffisamment bref pour être lu d'une traite, ce qui assure une « unité d'impression ». Le schéma proposé en filigrane par J. Malrieu met bien en lumière les trois grandes étapes qui structurent tout récit : on part d'une situation initiale équilibrée, où le personnage évolue dans un monde apparemment normal, même si des failles se dessinent. Survient un élément perturbateur, perçu comme inquiétant ou aberrant, qui bouleverse les règles et qui peut être suivi d'une série plus ou moins longue d'événements aboutissant à un point culminant. La situation finale est rarement celle d'un retour à l'ordre rassurant : à la différence du roman policier, avec lequel elle offre pourtant beaucoup de points communs, la littérature fantastique laisse souvent l'énigme ouverte.

4.
Quel avenir pour le fantastique?

Si l'on s'en tient strictement à la définition de Todorov, qui fonctionne parfaitement dans le cas du *Horla*, le fantastique n'a réellement existé qu'au XIXᵉ siècle. Mais, autrefois dissociés, la science-fiction et le fantastique ont fini par se rapprocher : il y a une incontestable proximité entre le monstre et l'extraterrestre, qui incarnent tous deux « l'autre » de l'homme.

L'influence de Poe continue à se faire durablement sentir, aussi bien en Allemagne où il a été traduit tardivement, que sur un auteur tel que Lovecraft qui, à l'instar de Balzac, crée le système du retour des personnages. Son œuvre est impressionnante, et il laisse une réflexion théorique importante, selon laquelle le genre fantastique se définit par le sentiment de peur qu'il provoque chez le lecteur. C'est la porte ouverte à tous les récits d'horreur dont Stephen King est aujourd'hui l'un des plus célèbres représentants. Certains rattachent aussi au fantastique l'*heroïc fantasy*, dont le monde, imaginaire et préscientifique, est dominé par la magie. De cette conception élargie du fantastique, il est quasiment impossible de faire le tour, et la gageure devient insurmontable si, quittant la littérature, on se penche sur le domaine cinématographique, qui s'est emparé des thèmes, des personnages et des techniques propres au fantastique.

**Jalons pour une histoire
de la littérature fantastique au XIXᵉ siècle**

1772 Jacques Cazotte, *Le Diable amoureux.*
1796 Début de la vogue, en France, du roman noir anglais ou « roman gothique ».
1797-1807 Jean Potocki, *Le Manuscrit trouvé à Saragosse.*
1818 Mary Shelley, *Frankenstein.*
1821 Charles Nodier, *Smarra ou les Démons de la nuit.*
1828 Traduction française des *Contes* d'Hoffmann.
1830 Charles Nodier, *Trilby.*
1831 Honoré de Balzac, *La Peau de chagrin, Le Chef-d'œuvre inconnu.*
1832 Charles Nodier, *La Fée aux miettes.*
1836 Théophile Gautier, *La Morte amoureuse.*
1837 Prosper Mérimée, *La Vénus d'Ille*; Charles Nodier, *Inès de la Sierra.*
1849 Traduction française (par Mérimée) de *La Dame de pique*, de Pouchkine. Mérimée fait aussi, peu après, l'éloge de Gogol.
1850 Edgar Poe, *Histoires extraordinaires.*
1865 Gérard de Nerval, *Aurélia* (posthume).
1868 Prosper Mérimée, *Lockis.*
1883 Villiers de l'Isle-Adam, *Contes cruels.*
1886 Villiers de l'Isle-Adam, *L'Ève future.* Stevenson, *Le Cas étrange du Dr Jekyll et de Mr Hyde.*
1887 Maupassant, *Le Horla* (dernière version). Il laisse bien d'autres contes fantastiques.
1891 Oscar Wilde, *Le Portrait de Dorian Gray.*
1897 Bram Stoker, *Dracula.*
1898 Henry James, *Le Tour d'écrou.*

Sur le fantastique

Pierre-Georges CASTEX, *Le Conte fantastique en France, de Nodier à Maupassant*, Paris, J. Corti, 1951.

Roger CAILLOIS, *Au cœur du fantastique*, Paris, Gallimard, 1965. Principales conclusions reprises dans l'introduction à son *Anthologie du fantastique*, Paris, Gallimard, 1966 et dans l'article «Fantastique» de l'*Encyclopaedia Universalis*.

Tzvetan TODOROV, *Introduction à la littérature fantastique*, Paris, Seuil, 1970.

Jean-Luc STEIMETZ, *La littérature fantastique*, Paris, PUF, «Que sais-je?», 1990.

Joël MALRIEU, *Le Fantastique*, Paris, Hachette, 1992.

L'écrivain
à sa table de travail

Comparaison entre
les trois versions du *Horla*

ON A COUTUME de dire qu'il existe trois versions du *Horla*, écrites chacune à un an d'intervalle. En fait, dans la première (*Lettre d'un fou*, 1885), l'être étrange n'est pas encore baptisé et ne peut donc donner son nom à la nouvelle. Seules les versions de 1886 et 1887 portent le titre *Horla*. Ce qui permet néanmoins d'inscrire la *Lettre d'un fou* parmi les variantes du *Horla*, c'est la similitude de l'expérience vécue et la fameuse scène du miroir qui sera reprise, presque mot pour mot, dans chacune des versions ultérieures. Il faut évidemment tenir compte des nombreux points communs qui unissent ces trois textes au-delà même de l'expérience surnaturelle qu'ils relatent : ces points communs tiennent notamment à la caractérisation du narrateur et de l'espace dans lequel il vit, mais aussi au personnel qui l'entoure, qu'il s'agisse de ses domestiques ou des médecins à qui il finit par s'adresser. Nous insisterons davantage sur les différences : la confrontation des ces trois états d'un même texte est extrêmement enrichissante car elle révèle comment Maupassant a su faire des choix de narration décisifs. Bien que les trois récits soient assumés à la première personne, ils instaurent chacun un rapport au lecteur très différent.

1.

Trois récits à la première personne : pour quel destinataire ?

Ainsi, la première version adopte la forme épistolaire : l'auteur de la lettre s'adresse à un médecin (« mon cher docteur ») pour lui faire part de ses inquiétudes. Cette forme s'apparente toutefois à un simple artifice de présentation puisque, en dehors des formules de salutation initiale et finale, la présence du destinataire n'est nullement rappelée, et l'on ignore quelle est sa réaction. Dans la deuxième version, on a affaire à un récit enchâssé puisque, avant de prendre la parole, le malade est décrit dans un récit enchâssant à la troisième personne. Cette brève introduction permet d'insister sur l'apparence physique du malade, présenté par le docteur Marrande à d'autres médecins qui peuvent apparaître comme des relais du lecteur : si la nouvelle se clôt sans que leur conclusion soit connue, le discours du malade ne cesse de rappeler leur présence (par de nombreuses occurrences du « vous ») et intègre leurs réactions à la progression de la démonstration (« *Je sens, messieurs, que je vous raconte cela trop vite. Vous souriez, votre opinion est déjà faite […] J'aurais dû […]* »), à la différence de la lettre. Par ailleurs, la perplexité exprimée par le docteur Marrande, « *le plus illustre et le plus éminent des aliénistes* », apporte une certaine crédibilité au récit, de même que son témoignage puisque le malade le prend à témoin peu avant de conclure. Dans la dernière version enfin, le discours n'est plus adressé puisqu'il s'agit d'un journal intime, et le lecteur se trouve donc seul confronté à la question de l'interprétation, qu'aucun récit-cadre ne vient orienter.

2.
Face à l'inexplicable : comment le dire ?

Cette évolution dans le choix de la forme narrative ne modifie pas seulement la question du destinataire : elle a également une conséquence décisive sur la composition et sur le traitement du temps. Dans les deux premières versions, la perspective est rétrospective et le narrateur cherche à élucider *a posteriori* les événements étranges dont il a été le témoin et la victime. Le récit se situe donc dans l'après, et est orienté par une volonté démonstrative : la lettre comme le discours du patient résultent d'une enquête menée sérieusement, qui conclut à l'inexplicable. Un tel dispositif permet de dédramatiser les événements, de mettre l'inquiétude quelque peu à distance. En revanche, dans le cas du journal intime, les éléments sont présentés en tension, au présent, dans l'ignorance de ce qui va advenir. Le lecteur ne peut que partager l'angoisse du narrateur, dont la conscience semble prise au piège, qui se débat comme il peut face à l'inexplicable et qui n'a pas le recul nécessaire pour construire une démonstration.

3.

Le bouleversement de l'ordre narratif

On peut également être sensible à l'ordre dans lequel les informations sont délivrées au lecteur. Dans le premier cas, avant de présenter le récit de ce qui lui est arrivé, l'épistolier consacre l'essentiel de sa lettre à un exposé didactique, à la fois précis et organisé, qui prédispose à croire à l'existence d'un être surnaturel. En fin de compte, la rencontre du narrateur avec le «passant invisible» apparaît presque comme une preuve à l'appui de son discours scientifique puisque les différents sens (vue, ouïe…), examinés tour à tour dans la première partie, sont sollicités dans cet épisode. Reste le pouvoir fascinant d'une glace dans laquelle le reflet s'efface.

Dans la deuxième version, un tel ordre est bouleversé et ce bouleversement donne un tout autre impact au récit : l'épisode de la glace, raconté de façon similaire, n'est pas préparé de la même façon. D'abord incrédule, le narrateur soumet les messages de ses sens à toute une série de tests convaincants et cohérents, et n'admet qu'après coup l'hypothèse scientifique posée d'emblée dans la *Lettre d'un fou*. Cette hypothèse apparaît ainsi comme le résultat d'une recherche consécutive aux étranges événements, et non comme un préalable les ayant préparés. En revanche, Maupassant donne une dimension supplémentaire à son récit en mettant en place une fin apocalyptique : le « Horla » n'est plus une simple présence mystérieuse et inquiétante, un être invisible « autrement organisé », mais une puissance destructrice qui annonce la fin de l'homme. Autrement dit, si la version initiale plaidait en faveur de la folie, annoncée dès le titre dans lequel on entend aussi « l'être d'un fou », l'être créé par un fou, cette deuxième version semble pencher davantage vers la science-fiction.

4.

Vers le fantastique

C'est finalement dans la version ultime que Maupassant parvient le mieux à maintenir une hésitation jamais résolue entre l'hypothèse de la folie et celle d'une existence surnaturelle. Non seulement le narrateur est limité dans sa perception subjective (choix de la première personne), mais il n'a pas le recul nécessaire pour offrir au lecteur une interprétation cohérente. Ce dernier n'a d'autre choix que d'épouser les soubresauts et variations de la conscience du narrateur : à l'euphorie initiale, fait place une ambiance de plus en plus dysphorique, excepté dans les échappées au Mont-Saint-Michel et à Paris. Ce qui plaide en faveur de la folie, c'est le narcissisme dont fait preuve le narrateur (« *J'aime* ma *maison où j'ai grandi* »), l'énormité de son oubli final, qui fait périr ses domestiques dans l'incendie, et surtout un discours qui se délite peu à peu (ruptures syntaxiques, phrases nominales, points de suspension) sous les yeux du lecteur. De l'autre côté de la balance, pèsent la rationalité des expériences qu'il fait, l'expérience d'hypnotisme qui vient valider les impressions reçues... Ce point permet de mettre en lumière un autre choix fait par Maupassant : les discours scientifiques sont pris en charge par d'autres (le moine, le médecin, le livre qu'il emprunte), rapportés au discours direct, avant d'être intégrés par le narrateur dans une démonstration qui peut sembler délirante.

5.

L'art des détails

Ce dernier élément invite enfin à se pencher sur des détails apparemment insignifiants : la dernière version substitue des fraises au gâteau au chocolat dont le narrateur du premier *Horla* dit raffoler. Cette transformation ne serait qu'anecdotique ou amusante si les fraises ne faisaient retour à la fin du récit pour montrer la puissance de cette volonté aliénante (« *il faut que j'aille au fond de mon jardin cueillir des fraises et les manger...* »). Le volume de poésies de Musset que feuillette le Horla, et dans lequel la référence au double n'est qu'allusive, est remplacé par le traité du docteur Hermann Herestauss au sujet des « êtres invisibles »... Pour le tromper enfin, lors de leur ultime rencontre, le narrateur ne fait plus semblant de « lire », mais d'« écrire »... Enfin, le thème du miroir trouve dans la dernière version une vertigineuse série de relais.

Groupement de textes
Le successeur de l'homme

LE NARRATEUR DU *Horla*, dont on ne sait s'il est victime de sa propre folie ou d'un véritable envahisseur, écrit dans son journal : « *Le règne de l'homme est fini. / Il est venu […].* » « Il », c'est le « Horla », l'envahisseur, le successeur de l'homme. Dans la première version, l'hypothèse était fermement posée : le Horla, « *c'est celui que la terre attend, après l'homme !* ». Toutes les légendes folkloriques et les superstitions ne faisaient en fait qu'annoncer, sous des formes diverses, la venue du successeur de l'homme.

Il s'agit en fait d'une idée « dans l'air du temps », sans doute fortement influencée par la théorie que Darwin expose dans *L'Origine des espèces par voie de sélection naturelle* (1859) : observant « *la lutte pour l'existence qui se rencontre partout* », l'auteur se déclare frappé par l'idée « *que, dans ces circonstances, des variations favorables tendraient à être préservées, et que d'autres, moins privilégiées, seraient détruites. Le résultat de ceci serait la formation de nouvelles espèces* ». Une telle théorie le conduit à affirmer que l'homme descend du singe. Si une telle évolution résulte d'un processus de sélection continu, comment ne pas envisager que l'homme puisse à son tour être supplanté par un être supérieur ? La fin du XIXᵉ siècle est hantée par cette idée.

On retrouve là une variation sur l'un des motifs qui structurent le fantastique : le rapport entre humain et non-humain. Les frontières entre l'un et l'autre évoluent en fonction de l'état de la connaissance : celle-ci fait reculer les limites de l'humain, mais elle peut aussi lui faire découvrir l'inhumain en lui... L'inhumain peut être issu de l'homme ou lui être radicalement étranger : d'un côté le savant fou et sa créature mutante, de l'autre l'extrahumain. C'est pourquoi, plutôt que de traiter du thème souvent convoqué du double, nous avons choisi de centrer ce groupement de textes sur la question anthropologique du successeur de l'homme puisque dans les deux cas est interrogée, selon des modalités différentes, la question du rapport à l'autre, l'étranger, l'*alien*.

Pour compléter ce groupement de textes, mentionnons ces quelques témoignages contemporains de Maupassant : Fitz-James O'Brien, *What was it ?* (1859), J.-H. Rosny aîné, *Les Xipéhuz* (1887), ou Ambrose Pierce, *The Damned Thing* (1893), cités par Joël Malrieu dans son étude sur *Le Horla* (Foliothèque, no 51, p. 149-157).

Comme le prouvent par exemple les nombreux ouvrages de l'astronome Camille Flammarion, l'homme du XIXᵉ siècle s'interroge sur sa place dans l'Univers, qu'il partage peut-être avec d'autres êtres. Le Martien a toujours fait l'objet d'un traitement privilégié, dont témoignent, sur un mode plaisant, la nouvelle de Maupassant *L'Homme de Mars* et, sur un mode beaucoup plus sombre, *La Guerre des mondes*, de H.G. Wells (1898) — dont nous vous proposons de découvrir l'incipit :

H. G. WELLS
La Guerre des mondes
(Folio, n° 185)

Personne n'aurait cru, dans les dernières années du XIXe siècle, que les choses humaines fussent observées, de la façon la plus pénétrante et la plus attentive, par des intelligences supérieures aux intelligences humaines et cependant mortelles comme elles ; que, tandis que les hommes s'absorbaient dans leurs occupations, ils étaient examinés et étudiés d'aussi près peut-être qu'un savant peut étudier avec un microscope les créatures transitoires qui pullulent et se multiplient dans une goutte d'eau. Avec une suffisance infinie, les hommes allaient de-ci de-là par le monde, vaquant à leurs petites affaires, dans la sereine sécurité de leur empire sur la matière. Il est possible que, sous le microscope, les infusoires fassent de même. Personne ne donnait une pensée aux mondes plus anciens de l'espace comme sources de danger pour l'existence terrestre, ni ne songeait seulement à eux pour écarter l'idée de vie à leur surface comme impossible ou improbable. Il est curieux de se rappeler maintenant les habitudes mentales de ces jours lointains. Tout au plus les habitants de la Terre s'imaginaient-ils qu'il pouvait y avoir sur la planète Mars des êtres probablement inférieurs à eux, et disposés à faire bon accueil à une expédition missionnaire. Cependant, par-delà le gouffre de l'espace, des esprits qui sont à nos esprits ce que les nôtres sont à ceux des bêtes qui périssent, des intellects vastes, calmes et impitoyables, considéraient cette

terre avec des yeux envieux, dressaient lentement
et sûrement leurs plans pour la conquête de notre
monde. Et dans les premières années du xxᵉ siècle
vint la grande désillusion.

Orson Welles en fit une adaptation radiopho-
nique si efficace et si réaliste qu'elle déclencha une
vague de panique sur tout le territoire des États-
Unis, en 1938. Ses compatriotes ont cependant
retrouvé courage depuis, si l'on en croit le film
Independance Day (1996), qui se sert du prétexte
d'une attaque extraterrestre pour mobiliser tous les
Terriens sous la bannière des États-Unis, prétexte
ironiquement dénoncé par Tim Burton dans sa
parodie *Mars Attacks*. À chaque fois, l'autre est présenté comme hostile, dans un rapport de pouvoir
qui vise l'annihilation de l'homme — à côté des
représentations plus pacifiques proposées par Ste-
ven Spielberg dans *Rencontres du 3ᵉ type* ou *E.T.
l'extraterrestre*.
   Mais le danger ne vient pas seulement de planètes
éloignées : il peut aussi être présent parmi nous,
à notre insu, depuis toujours : c'est l'hypothèse que
met en place E.F. Russel dans *Guerre aux invisibles*
(1939), un texte d'anticipation très riche qui jongle
avec presque tous les thèmes abordés dans *Le Horla*.
L'inspecteur Graham est chargé d'une enquête délicate : découvrir le lien qui unissait plusieurs scientifiques, tous morts mystérieusement à quelques jours
d'intervalle. Leurs recherches avaient un rapport
avec la vue, tous avaient un regard étrangement
brillant avant de mourir, tous semblaient désespéré-
ment fuir quelque chose. Il parvient à rencontrer le

docteur Beach peu avant que celui-ci ne meure à
son tour : voici ce que révèle leur conversation.

E. F. RUSSEL
La Guerre aux invisibles
(Présence du Futur, n° 132)

« Graham », commença Beach et sa voix coupa
court aux reproches que celui-ci se faisait mentale-
ment, « un homme a fait une découverte d'une por-
tée aussi vaste que l'invention du télescope et du
microscope.
— Quelle découverte ?
— Un moyen d'étendre la portion visible du
spectre au-delà de l'infrarouge. […] Comme l'in-
venteur du télescope et celui du microscope,
[Bjornsen] a révélé un monde nouveau et dont,
avant lui, on ne soupçonnait même pas l'existence.
— Un coin du voile soulevé sur l'inconnu qui nous
entoure ? suggéra Graham.
— Exactement ! […] Tous ces phénomènes nous
étaient demeurés inconnus pendant des siècles, les
uns parce qu'ils se cachaient dans l'infiniment
grand, les autres dans l'infiniment petit : nous
avons de même ignoré d'autres phénomènes parce
qu'ils appartenaient au domaine de l'incolore
absolu. » La voix de Beach se fit plus vibrante, un
peu rauque même. « Le jeu des vibrations électro-
magnétiques s'étend sur plus de soixante octaves
dont l'œil humain ne perçoit qu'une seule. Au-delà
de cette barrière que nous imposent les limites de
notre pauvre champ de visibilité, dictant leur loi à
tout homme du berceau à la tombe, et nous ron-
geant aussi impitoyablement que n'importe quel
parasite, vivent nos pervers et tout-puissants suze-
rains, … les vrais maîtres de la terre !
— Mais de quoi diable voulez-vous parler ? Ne tour-

nez pas autour du pot. Au nom du Ciel, expliquez-vous ! »

Une sueur froide couvrait le front de Graham, et ses yeux restaient fixés sur l'écran. Il constata non sans soulagement qu'aucune fluorescence, aucun halo de mauvais augure ne troublait les ténèbres environnantes.

« Pour des yeux possédant un champ de visibilité plus étendu que le nôtre, ils ont l'aspect de sphères luminescentes d'un bleu pâle qui flottent dans l'air, déclara Beach. Comme ils ressemblaient à des globes de lumière vivante, Bjornsen leur a donné le nom de Vitons. Mais ils ne sont pas seulement vivants... ils sont intelligents ! Ce sont eux les seigneurs de la terre ; nous sommes, nous, le bétail de leurs champs. Ils sont les cruels sultans de l'invisible ; et nous, nous sommes leurs esclaves courbés sous le joug, et d'une stupidité telle que nous commençons seulement à prendre conscience de nos chaînes. »

Dans cette veine, *La Planète des singes* de Pierre Boule (1963) offre, à l'égard de la théorie darwinienne, un renversement de perspective vertigineux. Le renversement est tout aussi acrobatique lorsque c'est l'homme qui devient le monstre. C'est le cas de Robert Neville dans *Je suis une légende*, de R. Matheson (1954) : une guerre bactériologique a provoqué la mutation de tous les Terriens en vampires, seul Neville semble y avoir échappé. Mais le monstre n'est pas celui qu'on croit, et le non-humain, c'est peut-être nous-même.

L'ennemi serait-il intérieur ? *Le Horla* en jouait. Cette idée est reprise, mais exploitée d'une tout autre façon, dans un roman aujourd'hui un peu oublié :

Force ennemie de John-Antoine Nau (1903), dont le dispositif subtil ne permet pas au lecteur de trancher définitivement en faveur de l'hypothèse de la folie. Le narrateur, qui semble parfaitement lucide, raconte les premiers jours de son internement, jusqu'à une conversation avec son médecin qui lui révèle une présence étrangère à l'intérieur de lui.

John-Antoine NAU
Force ennemie
(Éditions de la Plume)

Et c'est ce moment que choisit je ne sais quel obscur ennemi *tapi en moi* — depuis quand ? — pour me tordre et me secouer les nerfs, pour m'obliger à manifester une fureur que je ne ressens pas, que je ne veux pas ressentir, pour me faire clamer, danser, puis me convulser comme les deux *agités* du pavillon de briques brunes.

[...]

Je profite d'un moment de demi-calme pour pousser un cri d'imploration navrant dans son imbécile absurdité !

— Docteur ! docteur ! À moi ! Sauvez-moi, je suis *habité comme un fruit véreux !*

[...]

Je sens à ne m'y tromper que je ne suis plus « seul en moi ». Comment expliquer ce que j'éprouve sans dire des choses ridicules ? Je suis obsédé par une *présence* insupportable — même quand l'*Être* ne me tourmente pas violemment comme il le fit lors de la visite du docteur Froin. Cet *être* semble assagi depuis quelques heures, mais il me parle à présent. Puis-je dire qu'il me parle ? Il n'a pas de voix ! Mais il me *suggère* des mots parfois assez... bizarres qui traduisent sa... pensée.

[...]
À peine, en effet, ai-je fermé les yeux que j'entre-
vois *au-dedans de moi* quelque chose de hideux,
— d'indescriptible, de vague, — mais de hideux, —
et que l'*envahisseur* me *suggère* de nouveau des mots
et des phrases :
— Pour surpris, tu l'es, hein ? Tu n'avais jamais vu
cela, un homme habité comme un fruit véreux ? Tu
en as, de ces expressions ! Je parie que tu vas me
prendre pour un diable et te faire exorciser !
Buffle ! crétin ! triste veau ! Ce n'est pas cela qui me
délogera, va !

La « chose » ensuite se présente : c'est un extraterrestre du nom de Kmôhoûn, grossier dans ses
manières et son vocabulaire, fier de sa méchanceté,
qui oblige son « locataire » à commettre, à son corps
défendant, les pires turpitudes. On songe à la série
cinématographique des *Alien*, qui met en scène un
être pondant dans le corps des hommes et se déve-
loppant à leur insu.

L'annihilation de la volonté fait partie des pou-
voirs parapsychiques qui fascinent les auteurs de
science-fiction. En témoigne le roman-fleuve de Dan
Simmons, *L'échiquier du mal* (1989), qui revisite une
partie de l'histoire du XXe siècle à la lumière d'une
partie d'échecs géante que se livrent quelques personnes douées du « Talent », capables de pénétrer
l'esprit des hommes pour en faire leurs pions. Saul
Laski, intellectuel juif déporté, a été victime d'un
« *viol mental* » de la part d'un de ces « *vampires psy-
chiques* ». Il tente de comprendre l'origine de ce
« Talent » :

Dan SIMMONS
L'échiquier du mal
(Folio SF, n° 9, t. 1)

Durant les années que j'ai passées à rassembler mes données et à tenter d'établir les bases de ma réflexion, j'ai soutenu en secret une théorie si bizarre et si peu scientifique qu'elle aurait ruiné ma réputation professionnelle si j'en avais fait part à mes collègues, même sous le sceau du secret. Et si l'humanité avait évolué jusqu'au point où l'établissement de la domination était devenu un phénomène psychique — ou, comme le diraient les plus irrationnels de mes amis, un phénomène *parapsychologique*? Il est certain que la séduction exercée par certains politiciens, ce que les médias appellent le *charisme* faute d'un terme plus approprié, n'est fondée ni sur la taille, ni sur la fertilité, ni sur l'agressivité. Et s'il se trouvait, quelque part dans un lobe ou dans un hémisphère du cerveau, une zone consacrée à la projection de cette volonté de domination personnelle? Je connaissais parfaitement les études neurologiques suggérant que le sens de la hiérarchie était une fonction des parties les plus primitives de notre esprit — le prétendu cerveau reptilien. Mais supposons que soit intervenue une extraordinaire progression — une *mutation* — douant certaines personnes d'un talent similaire à l'empathie ou à la télépathie, mais infiniment plus puissant et plus utile en termes de survie. Et supposons que ce talent, nourri par sa propre soif de domination, ait trouvé dans la violence son ultime moyen d'expression. Les êtres humains possesseurs d'un tel talent seraient-ils encore des êtres humains? En fin de compte, je ne pouvais qu'émettre théorie sur théorie pour expliquer ce que j'avais *ressenti* lorsque la volonté de l'Oberst m'avait pénétré. À mesure que les années passaient, les détails de ces horribles journées s'estompaient dans mon esprit, mais la *douleur* causée par ce viol mental, la révulsion, et la terreur que j'avais éprouvées, m'empêchaient toujours de dormir en paix.

Les progrès de la science engendrent des monstres, mutants ou machines capables de supplanter l'homme, créatures échappant au contrôle de leurs créateurs humains. Les fictions où c'est la créature même de l'homme qui devient son ennemi sont particulièrement troublantes, des répliquants de *Blade Runner* (Ridley Scott, 1982), qui revisite le thème de Frankenstein, à *Métropolis* (Fritz Lang, 1927), *2001, l'Odyssée de l'espace* (Stanley Kubrick, 1968) ou *Matrix* (des frères Wachowski, 1999), qui imaginent une prise de pouvoir par les machines. À côté des *Robocop* et autres *Terminator*, le film de Spielberg, *A.I.*, fait encore exception, en présentant un robot plus humain et aimant que les hommes. À l'inverse, on trouvera une dédramatisation humoristique de ces thèmes dans les nouvelles de R. Silverberg réunies sous le titre *Les Éléphants d'Hannibal*.

Chronologie

Maupassant et son temps

1.

Jeunesse normande (1850-1869)

Guy de Maupassant naît à Fécamp en plein milieu du siècle, le 5 août 1850. Cette année est marquée par la mort de Balzac et le scandale que provoque *L'Enterrement à Ornans* de Courbet.

Maupassant est toutefois bien trop jeune pour s'en préoccuper, et il a d'autres soucis : ses parents ne cessent de se disputer, et finissent par se séparer en 1860. Guy reste à Étretat, avec sa mère et son frère, Hervé, né en 1856 : il lit beaucoup, et apprend à connaître sa Normandie natale.

À dix-huit ans, Maupassant entre au lycée de Rouen, après avoir été renvoyé du séminaire d'Yvetot, où il s'ennuyait terriblement. Il commence alors à correspondre avec Louis Bouilhet, ami intime de Flaubert, chez qui il est introduit. Il obtient son baccalauréat en juillet 1869.

Depuis 1848, où la révolution a conduit à l'abdication du roi Louis-Philippe, la France vit sous le régime de la Seconde République. Alors que son mandat touche à sa fin et qu'il n'a pas le droit de se représenter pour une nouvelle élection, le président sortant, Louis-Napoléon Bonaparte, décide de provoquer un coup d'État, le 2 décembre 1851. En novembre 1852, il instaure l'Empire et prend le nom de Napoléon III.

En 1857, le gouvernement impérial intente un procès «pour immoralité» à Baudelaire pour *Les Fleurs du Mal* et à Flaubert pour *Madame Bovary* : dans les deux cas, le mot «réalisme» est prononcé. En 1868, Émile Zola, qui commence à se faire connaître, emploie le mot «naturalisme» dans la 2e édition de *Thérèse Raquin*.

2.

Les débuts à Paris (1869-1880)

Maupassant vient de s'inscrire en études de droit quand il est mobilisé pour la guerre. Il le restera jusqu'en novembre 1871.

La vie de Maupassant s'organise : il parvient à entrer au ministère de la Marine et des Colonies, où il occupe un modeste emploi de bureau. Parallèlement, il mène joyeuse vie, affectionnant particulièrement le canotage sur la Seine... et les femmes. Il écrit. Flaubert l'assiste de ses conseils, lui interdisant de publier avant de maîtriser totalement sa plume, et lui ouvre les portes du monde littéraire, en l'invitant à ses «dimanches», rue Murillo à Paris. Maupassant y fait de multiples rencontres : les membres du «Dîner des cinq», mais aussi Heredia et Huysmans...

En février 1875, Maupassant publie un premier conte, *La Main d'écorché*, dans une gazette de province, sous la signature de Joseph Prunier. Pour écrire ce récit fantastique il s'inspire de sa rencontre, lorsqu'il était adolescent, avec le poète anglais excentrique, Swinburne : celui-ci, pour remercier Maupassant de l'avoir sauvé de la noyade, l'avait invité chez lui, où un mur s'ornait… d'une main coupée ! Mais il écrit aussi des pièces de vers et du théâtre. Peu après, les premiers signes de la syphilis apparaissent.

Le 16 avril 1877, après le succès de *L'Assommoir* de Zola, Maupassant participe au « dîner Trapp » (du nom de la brasserie où il s'est tenu), considéré comme le repas de baptême du naturalisme, et qui réunit, autour de Flaubert, Edmond de Goncourt et Zola, de jeunes disciples.

En décembre 1878, grâce à Flaubert, il est muté au ministère de l'Instruction publique. Mais il est plus heureux dans ses activités littéraires que dans son rôle de fonctionnaire : il commence à publier articles et poèmes et, en 1880, fait paraître *Boule de Suif* dans le recueil *Les Soirées de Médan*. Sa nouvelle remporte un vif succès et suscite (enfin) l'admiration de Flaubert. Celui-ci le soutient aussi lorsque son poème *Une fille* lui vaut d'être « prévenu d'outrage à la morale ».

Après la multiplication des tensions entre les deux pays, la France déclare la guerre à la Prusse le 19 juillet 1870. Elle va rapidement la perdre. Napoléon III, fait prisonnier à Sedan, est déchu le 4 septembre 1870 : c'est la fin de l'Empire.

La France connaît de nombreux troubles politiques : la République peine à s'imposer. En 1871, c'est la Commune de Paris, une insurrection populaire réprimée dans le sang. Thiers devient officiellement président de la République.

1874 : Création du dîner des « auteurs sifflés », ou

« Dîner des Cinq », qui réunit Flaubert, Tourgueniev, Edmond de Goncourt, Alphonse Daudet,
Émile Zola.

1875 : Grâce à de nouvelles lois constitutionnelles
qui stabilisent le régime politique, la Troisième
République est déclarée. Elle connaîtra plusieurs
crises.

3.

Maupassant, écrivain et journaliste (1880-1890)

Maupassant est très affecté par la mort de Flaubert. En juin, il quitte l'administration, pour
raisons de santé. C'est un soulagement. Désormais,
il est lancé, et vivra de sa plume : il entre au *Gaulois*,
au *Gil Blas*, au *Figaro*, à *l'Écho de Paris*. Pendant dix
ans, il donne aux journaux plus de trois cent
soixante publications en tout genre. Malgré ses pro-
blèmes de santé, il voyage beaucoup durant cette
période, en Italie, en Angleterre, et surtout en
Afrique du Nord, où il fait plusieurs séjours.

En mai 1881, Maupassant publie la *Maison Tellier*,
recueil de contes. En 1883, paraît son premier
roman, *Une vie*, d'abord publié en feuilleton dans le
Gil Blas. Viennent ensuite les *Contes de la Bécasse*, sui-
vis d'une étude sur Zola et d'une *Étude sur Gustave
Flaubert*, qui sert de préface aux *Lettres de Flaubert à
Georges Sand* en 1884. L'année 1885 voit paraître
trois recueils de contes (*Yvette, Contes du Jour et de la
Nuit, Toine*), mais aussi le roman *Bel-Ami*. Maupassant emménage alors dans un hôtel particulier bien
plus prestigieux que ses habitations précédentes,
signe de sa promotion sociale. Il s'intéresse beau-

coup à la psychiatrie, et assiste aux cours de Charcot à la Salpêtrière, cependant que ses troubles nerveux (maux de tête, irritabilité, angoisses) se multiplient.

Maupassant continue de mener une vie trépidante : il voyage ; il navigue sur son voilier, *Bel Ami* ; il publie sans désemparer contes (*Monsieur Parent, La Petite Roque*) et roman (*Mont-Oriol*). Son recueil de contes, *Le Horla*, publié en mai 1886, donne son nom à un aérostat dans lequel il fait une expédition largement commentée dans la presse. Mais il s'épuise et sa santé se dégrade inexorablement.

En 1888, Maupassant publie *Pierre et Jean*. Il fait un procès au *Figaro*, qui a tronqué *L'Étude sur le roman*, publiée dans ses colonnes le 7 janvier et qui sert de préface au roman. En 1889, il publie encore des contes (*La Main gauche*) et un roman (*Fort comme la mort*). Son frère Hervé, après un séjour en hôpital psychiatrique, meurt le 13 novembre. 1890 voit paraître un récit de voyages (*La Vie errante*), mais aussi son dernier recueil de contes (*L'Inutile Beauté*) et son dernier roman (*Notre cœur*).

---

8 mai 1880 : Flaubert meurt, foudroyé par l'apoplexie.
1881 : Sous l'impulsion de Jules Ferry, ministre de l'Instruction publique, l'école devient laïque, gratuite et obligatoire (de 6 à 13 ans). Zola fait paraître (entre autres) *Les Romanciers naturalistes* et *Le Naturalisme au théâtre*.
1882 : Koch découvre le bacille de la tuberculose ; Pasteur la vaccination anticharbonneuse. Charcot commence ses cours à la Salpêtrière.
1885 : Mort de Victor Hugo et de Jules Vallès
1887 : Manifeste antinaturaliste des Cinq (Rosny, Bonnetain, Guiches, Margueritte, Descaves) contre *La Terre* de Zola.

> 1888-1889 : Nouvelle période de crise politique (agitation boulangiste).
> 1889 : Exposition universelle de Paris, avec la Tour Eiffel.

4.

La maladie et la mort (1890-1893)

> 1891 : enquête de J. Huret, qui fait le point sur les écoles littéraires en vogue. P. Alexis y répond par un télégramme célèbre : «Naturalisme pas mort. Lettre suit.» D'autres ne sont pas de cet avis : J. Case, *La Débâcle du naturalisme*; Léon Bloy, « Les Funérailles du Naturalisme ».

Tous les traitements, cures et repos ont échoué. Les consultations médicales se poursuivent, en vain. Maupassant ne parvient plus à lire ni à écrire, mais s'acharne au travail. Il engage des procès contre ses éditeurs, souvent pour des motifs futiles ou discutables. Il rédige son testament.

Dans la nuit du 1er au 2 janvier 1892, il tente de se trancher la gorge. Le 8 janvier, il entre à la clinique du Dr Blanche où, en dépit des soins des médecins, il sombre dans une inconscience entrecoupée de moments de lucidité. Il meurt le 6 juillet 1893, à l'âge de 43 ans, et est inhumé au cimetière Montparnasse.

> 1896 : Mort d'Edmond de Goncourt.
> 1898 : Zola, *J'accuse*.
> 1899 : *Le Père Milon*, recueil posthume de contes non encore repris en volume.
> 1902 : Mort de Zola.
> 1908-1910 : Édition par Paul Neveux à la librairie Conard des *Œuvres Complètes* de Maupassant.

Éléments pour une
fiche de lecture

SI UN RÉSUMÉ de l'intrigue est souvent nécessaire à l'établissement d'une fiche de lecture, la brièveté du récit auquel nous avons affaire nous invite à multiplier les lectures transversales sur des aspects précis — les pistes suggérées ici (paratexte, cadre spatio-temporel, personnages...) pouvant fournir des rubriques utiles même pour la lecture d'ouvrages plus volumineux. Il s'agit ici simplement d'éléments de réflexion.

Sur le paratexte

- Quelles interprétations peut-on donner du titre ? Que peut signifier ce mot mystérieux, comment réapparaît-il dans le texte ? Comment le comprenez-vous, à quoi vous fait-il penser ?
- Étudiez les couvertures de différentes éditions de ce texte et indiquez comment elles orientent la lecture à venir.

Sur le cadre spatio-temporel

- Sur quelle durée s'étend la partie de journal qui nous est donnée à lire ? Le narrateur écrit-il tous les jours ? Pourquoi ? Quel laps de temps s'écoule entre les événements et le compte rendu qui en est fait ? Ce laps de temps est-il soumis à variations ?
- Mettez en rapport ces observations sur le temps avec les déplacements du narrateur. De même, relevez toutes les informations données sur le lieu dans lequel il vit, à l'échelle de la région, de la ville, de sa maison.

Sur les personnages

- Le narrateur : quels sont les indices sur son statut social, sur ses opinions politiques ? Est-il riche ou pauvre ? Exerce-t-il une activité ? Que sait-on de son environnement familial ? Quelle personnalité fait apparaître le journal ?
  Vous serez particulièrement attentif à toutes les occurrences du pronom personnel *je / moi / me* et des possessifs qui s'y rapportent, ainsi qu'aux réflexions sur la solitude.
- Le Horla : rassemblez tous les éléments d'identification sur cet être invisible. Manifeste-t-il des goûts particuliers ? un comportement singulier ? En quoi se rapproche-t-il d'autres êtres surnaturels ?
- Les domestiques : comment sont-ils évoqués ?
- Les autres personnages rencontrés par le narrateur : que retient-il de ses rencontres avec le

moine, avec le docteur Parent ? Quelle est son attitude à l'égard de sa cousine ?

Sur les choix narratifs

- Pourquoi avoir choisi finalement la forme du journal intime ? Quel en est l'intérêt pour le genre fantastique ?
- Relevez dans ce texte tous les termes qui se rapportent au fantastique : quelle atmosphère contribuent-ils à créer ?

Vers l'interprétation : le rapport aux autres

- Que peut représenter ou symboliser le Horla ? À quels types d'êtres différents est-il comparé ? Comment le narrateur présente-t-il ceux qu'il rencontre ? Que lui apportent-ils ? Que leur apporte-t-il en retour ?
- Le thème du miroir a beaucoup d'occurrences dans la dernière version du *Horla*. Relevez-les et proposez une interprétation.
- Comment expliquez-vous l'oubli final des domestiques ?

Sujet de réflexion

« Le fou est celui qui a tout perdu sauf la raison » : vous réfléchirez à cette affirmation en vous appuyant sur votre lecture personnelle du *Horla*.

Pour connaître l'ensemble des titres disponibles
en Folioplus classiques, rendez-vous sur le site
www.gallimard.fr

Composition Interligne
Impression Novoprint
à Barcelone, le 13 février 2018
Dépôt légal : février 2018
1ᵉʳ dépôt légal dans la collection : août 2003
ISBN 978-2-07-030245-1/Imprimé en Espagne.

333166